Biblioteca Era

Ana García Bergua

*

El imaginador

Ana García Bergua

*

El imaginador

*

RELATOS

Ediciones Era

Primera edición: 1996
ISBN: 968-411-382-x
DR © 1996, Ediciones Era, S. A. de C. V.
Calle del trabajo 31, 14269 México, D. F.
Impreso y hecho en México
Printed and made in Mexico

Índice

*

El imaginador

*

Ya son varias las horas que llevo aquí en el linde entre este zaguán y la calle, sin poder salir pues la lluvia no para. He visto cómo la gente se aventura en el aguacero con la esperanza o la desesperación de llegar a alguna parte que no sea este zaguán inhóspito al que por cierto nadie entra, nadie que habite el sórdido edificio que semeja una bóveda llena de nichos cerrados. No hay una sola luz en las ventanas que dan al patio, y parece que dentro de poco, si la lluvia sigue, los departamentos del primer piso van a quedar anegados, su parquet verdoso manchado por el lodo de la mugre que ha de reinar sobre las paredes y los muebles escasos. No es que los haya visto pero lo intuyo. Llevo tantas horas aquí que no he tenido otro remedio que imaginar para matar el tiempo, imaginar qué hay en cada departamento, y sólo he podido concebir departamentos tristes, oscuros y olorosos a guisos recalentados, pero llenos de niños. Parvadas enteras de niños correteando por salitas diminutas, destrozando los tapices y los enseres de plástico sin que haya alguien con tiempo o convicción de detenerlos, ni siquiera con interés. Y me intriga pensar qué están haciendo ahora esos niños, dónde están sus madres solitarias o sus padres desesperados, dónde estará la mujer que, supongo, vive en el departamento tres –el más pequeño– y que seguramente arraiga como puede a sus amantes a esa diminuta y asfixiante habitación hasta que salen empavorecidos dejándole como recuerdo unos cuantos pesos, o unos gruñidos sonrientes mientras le hacía el amor. En el cinco ha de vivir una viejita porque hay flores y un canario que está a punto de morir en este instante pues nadie cubre su jaula. En el ocho no hay siquiera una cortina junto a la ventana, y la puerta cerrada es parca y desinvita: un hombre ha de habitar esa penumbra que nada oculta porque nada enseña, un vendedor, un mecánico o un pintor despistado.

El agua ya me llega a las rodillas, y todas estas personas deberían de salir como hormigas de sus cuchitriles, pero sólo hay silencio y el canto de la lluvia que colma el patio. A lo lejos se ven las sombras de los buques, de autobuses repletos con gente subida al techo levantando sus vestimentas como banderas. Afuera sí se escuchan gritos, gritos ahogados por esta lluvia que no termina. Quizá los habitantes del edificio están todos en la azotea, pero el agua me ametralla el rostro al tratar de mirar hacia arriba y no sé, no puedo saber dónde están esos niños que seguramente, los días de sol en que el patio ha de ser rasgado por los tendederos, ensuciarán la ropa lavada con sus deditos pringosos, tirarán las sábanas al piso correteando alrededor de la ropa tendida, gritando y escondiéndose bajo las faldas de sus madres que los regañarán sin levantar la vista de sus manos callosas y afanadas en la espuma. Probablemente la mujer del tres se fue a la iglesia y flota de rodillas entre las bancas sin dejar de pedir perdón por sus pecados, o bien sólo ha ido a visitar a su hermana que vive en un piso alto y toma con ella café soluble mientras lloran juntas por el último hombre que huyó de su dominio tan limitado, en el que ahora su cama flota y se golpea con los burós y el lavabo. Espero que la viejita no haya muerto aún, su cadáver bañado por la lluvia y el gato trepado en alguna viga sin tener por dónde escapar hacia una dueña que viva unos años más. Y otros gatos de los que forman pandillas en los edificios lo han de estar llamando por su nombre de gato, lo invitan a un cobertizo seco y con ratas que alguno de ellos encontró, pero el micho no puede salir, está condenado a perecer con su dueña.

No sé por qué sigo en este zaguán si el agua ya me llega a las caderas. Será que a lo lejos sólo veo gente nadando y ambulancias que flotan haciendo sonar su sirena aunque de nada sirve que les abran paso. Avanzan tan rápido como el oleaje de la lluvia les permite, y lo mismo hacen los coches y los camiones. Da la impresión que en la calle el agua está más honda, el edificio de enfrente está cubierto hasta el tercer piso y he podido observar con paciencia cómo rescató un camión convertido en lancha a los inquilinos de aquella mole que hunde sus mármoles en el agua con cierta gloria. Pero de mi patio todavía se alcanzan a ver los mosaicos verdes, así de límpida y poco profunda está aquí la lluvia. En este zaguán se ha de haber besado una pareja con desesperación, una pareja de desterrados buscando dónde ejercer su amor, hasta que seguramente la viejita saldría con su escoba para barrerlos del patio, con la misma indignación con que ha de barrer los vidrios rotos y las botellas de los borrachos, que a la mañana siguiente los niños miran con curiosidad mientras las madres gritan no toques eso te vas a cortar desde las cocinas grises y olorosas a huevos revueltos con jitomate. Pero siguen ocultas las madres con sus niños, los borrachos han de delirar en algún baldío y los amantes seguramente estarán ya separados, cada uno en su propia inundación.

Estoy en el patio. Me asomo por la ventana del hombre y efectivamente veo un maletín que navega entre la silla y la cama. Nada más. Toco a las demás puertas y nadie me contesta. He gritado y sólo recibo el eco de la lluvia. El agua me llega al pecho y me muevo con dificultad. Por suerte el agua es tibia, y es una alberca límpida este patio. La coladera se dibuja clara entre mis pies. Cuántas cosas deben haber perdido los niños en esta coladera: canicas, pelotas, muñequitas de plástico que les regalaron a las más pequeñas en Navidad. Dentro de poco sólo podré salir buceando a la calle, el zaguán va a ser cubierto pronto por la lluvia. Y todos los chismes que escucharía ese zaguán de boca de las madres y las viejas se van a disolver, quizás los pueda escuchar, de tanto en tanto, movidos por las pequeñas corrientes que se forman en el agua verdosa. El canario flota inerte adentro de la jaula, y las plantas de la vieja se ahogan como si les hubieran encadenado las macetas al tallo. Pero no he logrado ver a la vieja por la rendija diminuta que deja abierta su cortina floreada. Por algunas ventilas empiezan a escapar los objetos de las casas, los cucharones que pendían de las paredes, los calendarios, platos de peltre. Una pelota roja escapa de la ventana del cuatro: hay niños, sabía que hay niños. Pero, ¿dónde están? Yo he tenido que empezar a flotar, ya no hago pie en la lluvia.

El segundo piso rodea con un balcón el patio. Me he encaramado a él sin gran esfuerzo, gracias al agua. Aquí hay más puertas y un letrero: "Se rentan habitaciones." Pero no hay nadie, tampoco, y las puertas se abren con facilidad. Es un desfile de camas deshechas, podría decirse cómo durmió cada ocupante, solo, acompañado, inmóvil, angustiado, si hizo el amor o fantaseó en solitario. Los pliegues de las sábanas relatan lo que ha sucedido, cada mancha corrobora una historia. Puedo ver cuántos cuerpos yacieron en cada uno, qué hicieron, si alguien lloró solo o frente a alguien que lo hacía llorar, si alguien cenó en la cama, si dos desayunaron juntos después del amor, si tres bebieron y se ahogaron bajo una misma sábana, si cuatro fornicaron por turnos, si después llegó un quinto y hubo pelea, si seis mataron a uno o a dos. El agua ya trepa por la escalera que ha de haber sido prohibida a los niños de abajo, este piso es de adultos y de muchos, un desfile de adultos que rentarían las habitaciones por días o por noches. Son pocas las pertenencias dejadas en cada una, y las pertenencias confirman las historias: un cepillo de dientes para el solitario, las medias y los platos de los que hicieron el amor, las botellas y los vasos de los que hicieron fiesta, los cigarrillos de los fornicadores, los lentes rotos de los peleoneros y el vacío desolador que dejó el crimen. Todo está ahí, y las sábanas empiezan a acoger el agua, dulcemente. Las sábanas que han de haber respirado al ser lavadas por las madres de los niños, a diez mil pesos la docena.

Salgo nadando al patio. Centenares de objetos que danzan sobre el agua verde me saludan: ropa, enseres de cocina, revistas, artículos de baño y juguetes, muchísimos juguetes pequeños, baratijas. En el fondo los muebles se golpean contra las puertas a medio abrir. Trato de mantenerme a flote sin que nada me golpee, la lluvia insiste, persiste, hace corrientes, remolinos. Llego a una escalerilla de azotea, y subo. Ahí están: todos juntos, refugiados bajo un cobertizo. Están las madres, la viejita y los niños, muchos niños. Y cuando me acerco a ellos son amables, me ofrecen un refresco, están guarnecidos y preparados para varios días. A lo lejos, la ciudad ha quedado bajo el agua, ellos parecen haber recibido aviso, han sabido de antemano que la lluvia no quiere cesar. Y han encendido un fuego. Apenas me doy cuenta de que el edificio brega, avanza por las calles, y el hombre –el hombre solo del maletín– lo capitanea. Me invitan a sentarme. Dicen que, con suerte, en un par de días estaremos en Toluca y podremos anclar.

Las puertas de cristal

*

No podía creer que estabas ahí, yo pensaba que jamás te volvería a encontrar y que eras ya para siempre una parte del pasado. Te veías portentoso: alto, guapo y bien vestido. Hasta parecías más joven, como un modelo, un actor; irreal, como un Valentino.

Cuando estuvimos juntos no eras tan guapo, no sé qué te pasó. Quiero decir que no eras esta maravilla. Antes estaba enamorada de ti, amaba tu alma, según yo, y debo confesar que prestaba poca atención a tu aspecto. Esta vez me pareciste un sueño.

¡Te rodeaba tanta gente! Era imposible acercarse a ti, o que tú mismo lograras ver un poco más allá de esa pequeña turba que te hablaba, te increpaba, te daba abrazos, y a la que respondías afanado y fresco, sonriendo, diciendo cosas que de vez en cuando provocaban risotadas a tu alrededor, como si tú sólo fueras una celebración, una fiesta jubilosa.

Pensé que quizás te habías vuelto célebre, que te dedicabas a la política, o a cantar, qué sé yo. No sé por qué te rodeaban tantos; nunca lo pude averiguar, porque tampoco quería traicionarme: hubieran pensado que seguía interesada en ti, o alguna de esas cosas que nos golpean el orgullo. Por eso quería que fueras tú el que me saludara.

Entonces, la verdad es que todo el tiempo fingí no verte. Incluso quise atraer a la gente igual que tú, ser ocurrente, llamar la atención. Y me detuve a tiempo, antes de empezar a hacer el ridículo. Nunca podría igualarte, nunca podría parecerme a ti. Pensé que si cuando estuviste conmigo no eras esta estrella, no brillabas así, fue quizás porque yo te contagiaba mi grisura.

Busqué a la mujer que te acompañaba. Había varias a tu

alrededor, pero tú no tratabas a ninguna de modo especial, a ninguna le dabas el privilegio de un abrazo prolongado, o de una mirada cómplice. La causa de tu nuevo esplendor eras tú solo. Quizás siempre habías sido el mismo y yo nunca te había visto.

Si lo hubiera hecho, ahora estaría contigo y te ostentaría como una joya valiosa, como un traje carísimo. Tal vez ahora recibiría con gratitud esa mirada con la que iluminabas a la gente alrededor de ti, como la luz de un faro.

Creo que nadie me vio cruzar las puertas de cristal, tú aún menos. Todavía te miré un poco desde afuera, rodeado de personas elegantes, sonriendo, festejando, bromeando, dando la mano, abrazando a algunos, embelesada por la cantidad innumerable de pequeños gestos con que encantabas a los que se hallaban a tu alrededor. Todas las cosas que decías con el cuerpo, con la mirada, con las manos, descollando como un hermoso velero cautivo de una tormenta gris, en medio de un mar de gente, de copas, candelabros, meseros y canapés.

Las piedras, los alfileres, los hielos, el vacío, el precipicio

*

Tengo los ojos cafés, será por eso que los ojos azules me parecen un prodigio, como venir al mundo con gemas, adornado. Es cierto que el color de los ojos modifica la mirada, aunque el sentimiento que la inspire sea el mismo en dos personas. Los ojos azules –será un lugar común decirlo– suelen enfriar la mirada, o desnudarla. Siempre he sentido que quien me mira a través de ojos azules me mira desde un cristal, en el que él mismo se refleja. Son ojos de espejo, miradas reflejadas, son agua, son cielos, son siempre algo que no está ahí. En realidad, nunca sé quién me mira detrás de los ojos azules.

Yo no la conocí. El día en que me la presentaron me dio la impresión de que no había nadie adentro de su cuerpo. En realidad me impresionaron sus ojos azules. Nos encontrábamos en una reunión, y alguien incluso se detuvo a elogiar aquel azul, un azul marino, pero no acuático, sólo oscuro.

Hay miradas con peces, verdosas. Las he visto. Son miradas que nadan adentro de sí mismas, un poco turbias, quizás, a ratos diáfanas y cristalinas, pero siempre llenas de peces, de algas, somnolientas. Pero ya dije que sus ojos no eran así, es una tristeza. No eran así. Eran helados, eran sólo una superficie.

Cuando me habló, cuando se dirigió a mí no me di cuenta al principio. Podía estarle hablando a cualquiera, era difícil saber. Preguntó si era verdad lo que yo acababa de decir sobre las editoriales francesas, me sentí aludido, asentí. Traté de continuar la conversación, como fuera, sobre lo que fuera, pero me costaba mucho trabajo mirarla a los ojos y aquello me avergonzaba. Yo miro a los ojos cuando hablo con la gente. Quien no me ve a los ojos me suele parecer cobarde, oscuro, no me gusta la gente así y suelo evitarla e incluso soy grosero con ella.

Y ahora me encontraba yo en la misma situación que yo tanto detestaba, despreciaba incluso.

Lo que sentía era mucho miedo de ver aquellos ojos porque era como hablar con un ciego, con una ciega en este caso, era como hablarle a un estanque, a algo inmutable, muerto o hueco. Y su boca sí reaccionaba, sonreía, hablaba, era locuaz. El asunto de las editoriales francesas le interesaba mucho –y esto lo recalcó– porque justamente estaba entrando en contacto con algunas de ellas en calidad de traductora. Vivió mucho tiempo en Canadá ejerciendo aquel oficio. Qué duro, es un trabajo arduo y la paga es mala, comenté, mirándola a los labios, evitando ver las piedras de sus ojos, no lapislázuli, no aguamarinas, sino casi grises de tan oscuros, y azules como el halo que rodea a las pupilas de algunos perros, eso pensé.

Cuando las personas se aman se miran a los ojos, pero cuando se quieren besar se suelen mirar a los labios; ese gesto es parte del amor, si no es que su preludio, el momento exacto entre el antojo del beso y el beso mismo. Quizás ella me malentendió, aunque en realidad no había nada que entender, yo no miraba sus labios, su frente, su cabello, porque me atrajeran en lo particular, sino porque respondían, no como el espejo inmóvil y vertiginoso de sus ojos. Había alguien en ellos. Y no quería verla a los ojos, pero tampoco quería mirar al piso, evasivamente, como hacen los cobardes, los tímidos. Yo no lo soy. Aunque en realidad estaba empezando a sentir mucha angustia, eso era verdad.

Sus pupilas huecas tenían al centro dos puntos negros –eso no lo dije– que se enterraban en mis ojos, fijos, inmóviles, negros y concentrados, como las niñas de los ojos de los muñecos. Y eso era, quizás, que era como una muñeca y no parpadeaba, como las muñecas, o por lo menos yo no era capaz de ver que parpadeara, porque no la miraba a los ojos, y si acaso lo hacía sólo por un instante, por no ser tan descortés, o qué sé yo, que ella no pensara que sólo la quería besar, o que admiraba su peinado.

17

Me habló mucho de su trabajo como traductora en Canadá. Yo había insistido en que me contara para compensar un poco mi imposibilidad de mirarla a los ojos, por un lado, y también para no delatarme. Llegó un momento en el que sin darme cuenta sentí una especie de compasión, como si ella fuera ciega o algo así, como si aquellos ojos –que llamaban muchísimo la atención y que mucha gente se detenía a admirar– fuesen en realidad un defecto, un muñón, algo que había que ocultar sepultándolo bajo un montón de naturalidad y de intereses aparentemente mayores. Y me vi por momentos haciendo como que miraba aquellos ojos helados sin mirarlos, nublando la vista, sonriendo mucho, todo por compensar.

Y ella sentiría, por lo menos eso creo, que mi interés por ella superaba lo normal, puesto que continuaba contándome cosas de Canadá, y de las dificultades de traducción que hay del francés al español, idiomas en apariencia tan similares, hermanos de sangre latina, pero al paso de las frases ya me hablaba de otras cosas, no sólo de trabajo sino de su vida en Canadá, donde había pasado como cinco meses encerrada traduciendo en un cuarto, y al cabo de ese tiempo había conocido a un Fulano, se había ido a vivir con él, había roto al cabo de tres años y a raíz de la ruptura había decidido regresar a vivir a México. En suma eso era todo, la verdad no era que dijera mucho, sino que extendía su discurso con frases subordinadas, referencias, datos, detalles y descripciones, con lo cual lo que decía aumentaba considerablemente.

La sentía nerviosa, estirando lo que decía como una manera de no separarse de mí, y en realidad aquello era algo que yo mismo había comenzado, con mi actitud equívoca, con mis miradas errantes por su rostro, bordeando sus ojos cuidadosamente como si temiera caer en el precipicio doble de hielo azul de sus ojos, resbalar en él, con el terror que ella –o sus ojos, ella no, en realidad– me inspiraba. Mientras más trataba yo de evadirla más daba la impresión de que quería saber más de ella, y aquello propiciaba una charla sobre intimidades que no me disgustaban, pero tampoco me interesaban especialmente. Ella dejaba claras algunas cosas con todo eso: que era soltera, que no creía en los hombres, y a la vez que no le disgustaría salir con uno, yo en este caso, sin compromiso.

Aquella era una proposición, con los términos claramente establecidos, en respuesta a unas supuestas insinuaciones mías que nacían de mi actitud, de mi necesidad cada vez más apremiante de separarla a ella de sus ojos, ya lo dije, como si fueran un defecto físico, pero también algo más, como si fueran insectos, algo difícil de decirle a alguien y de decir uno mismo, como "tienes dos tarántulas en los ojos", o algo así, y pensar que ella era una buena persona y existía detrás, o en el fondo, o lejos de sus ojos. Cuando la miré a los ojos, decidido, tratando de detener esta locura, me vi a mí mismo reflejado en aquellos espejos azul oscuro, clavado como un insecto en sus pupilas, detenido por los alfileres de las niñas de sus ojos.

Tuve que cortar de tajo porque no lo soporté. La gente aparece en sus ojos, la gente suele estar en sus ojos, y ella desaparecía en ellos, estaba en todo su cuerpo menos en sus ojos. Me escabullí al baño, cualquier cosa, y salí del baño con sudor en la frente, corrí a la mesa donde servían las cubas, me tomé una casi de un trago, y vi a lo lejos los ojos, otra vez, las piedras, los alfileres, los hielos, el vacío, el precipicio, todas esas cosas sobre ella buscándome, como seres extraterrestres adueñados de su rostro, de su cuerpo, de sus humanas intenciones de ligarme, algo sobrehumano, perverso. De sólo imaginarlos en la oscuridad, encima o debajo de mí, como fuera, me recorrió un largo escalofrío, de sólo imaginar la posibilidad de darle un beso con sus ojos mirándonos como dos intrusos.

Pero también me pareció espantoso confesar el terror que estaba sintiendo, y no quería pasar por loco ante nadie, ni siquiera ante una desconocida. Llamé a la anfitriona aparte, le expliqué un agudo malestar físico y soporté con paciencia los ofrecimientos de remedios, de que me acostara en su cuarto, sólo pensando en hacerlo y que llegaran los ojos a asaltarme.

No, le dije, creo que mejor me voy a mi casa. Y alegué malestares estomacales malolientes, desagradables, que finalmente lograron que la anfitriona me dejara ir sin despedirme de nadie, respirar en la calle el aire de la noche que era tibio, perfumado, y el olor de las acacias del jardín de enfrente.

Pero ya en mi casa, estando dormido, sonó el teléfono y eran sus ojos, quizá ella, para saber si me sentía mejor, si quería que fueran a cuidarme.

El cuadro

*

La mujer que está parada junto al cuadro verde tiene un aire solitario. Su vestido es rojo, y parece haberse arrepentido de ponérselo. Trata de esconderse, de que nadie la vea, se diría que quiere confundirse con el cuadro, pero lo eligió mal. Su figura roja resalta sobre el cuadro verde y hace otro cuadro, junto al cuadro. Quizás ha elegido ser un cuadro, titubea entre verse y no verse, entre estar y no estar. Sostiene una copa en la mano, pero no bebe. En la otra mano lleva un bolso negro, pequeño, un insecto lustroso. Mira hacia el frente pero pierde la vista hacia lo lejos, no ve nada, evade las miradas y al mismo tiempo se ha colocado en un sitio en el que es difícil no percatarse de que está ahí. Los que se detienen frente al cuadro miran en realidad a la mujer, pero se avergüenzan y desvían la vista a la pintura verde. Ella despide cierta angustia. Quizás espera a alguien.

El pintor se coloca junto a la mujer, frente a su cuadro. Está un poco molesto porque aquella mujer de rojo no permite que nadie vea su cuadro verde. Atrae a sus amigos, los toma del brazo, los coloca frente al cuadro, y cuando miran a la mujer se interpone y la tapa. Ella no se molesta, deja que la espalda del pintor la cubra, la arrincone contra el muro. El pintor ha congregado a varias personas frente al cuadro. Hay poco espacio y la mujer está casi empotrada en la pared. Entre las caras, entre las nucas, aparece su rostro preocupado, que mira a lo lejos.

La gente frente al cuadro la oculta. El pintor se coloca adelante con sus amigos para que le tomen una foto frente a su cuadro verde. El fotógrafo le pide a la mujer que se mueva. Ella se queda quieta, no se da por aludida. Algunos amigos del pintor le hablan en varios idiomas. No se mueve. El pintor tuerce la boca, pensando en el rostro contrito que aparecerá en la foto detrás de su hombro, junto a su cuadro. Quizás aquella mujer dirá que fue su amante y mostrará esa foto como prueba, dentro de veinte años. Mientras se la toman, el pintor ha decidido que se deshará de la foto llegando a casa.

Un amigo del pintor, de los que hablan varios idiomas, se pone frente a la mujer y le hace conversación. Ella responde "sí" o "no", sin verlo a los ojos. El amigo del pintor lanza de repente una mirada de soslayo hacia sus amigos, busca la complicidad. Recarga un brazo en el muro, por encima de la mujer, le habla mientras hace movimientos circulares con la copa. La mujer responde escuetamente. El amigo del pintor continua hablando, hace gestos con los dos brazos, enciende un cigarro y la envuelve en humo. La mujer se pega lo más que puede a la pared. El pintor sonríe. Le gustaría que su amigo empujara a la mujer hacia la otra habitación, quisiera verla traspasar el muro. El pintor se siente agredido, está furioso.

El amigo se retira, va con el grupo de amigos del pintor, voltea hacia la mujer y suelta una carcajada. Los demás lo siguen, pero le dan codazos para que disimule. La mujer lanza una mirada de tristeza hacia el grupo, sus ojos se vuelven a clavar a lo lejos, no se mueve. Pasa un mesero y le pide la copa. Ella se la bebe de un trago y la pone en la charola. La gente se empieza a ir, se despiden, se dan besos y abrazos. El pintor invita a varias personas a su casa. Todos van dejando sus copas en la charola del mesero. El pintor sale con sus amigos. El dueño de la galería hace cuentas en una mesa. La mujer sigue ahí.

El mesero se quita la chaqueta blanca, su ayudante llena unas cajas de copas y de botellas sobrantes. Llegan unos borrachos, buscan divertirse. El dueño de la galería les aclara que ya se terminó. No conoce la dirección del pintor. No va a ir a la fiesta porque no lo invitaron. A la mujer de rojo parada frente al cuadro verde, tampoco. El mesero cobra con el dueño de la galería, sale con su ayudante. Le comenta que van a ir a comer barbacoa. El dueño de la galería habla por teléfono con su esposa, le jura que llegará en media hora a la casa. Se levanta de la mesa, arregla unos papeles, apaga la luz y se va. Cierra la puerta con llave. La mujer sigue ahí.

La mujer descuelga el cuadro con mucho cuidado. Lo recarga en el piso. Va al escritorio del dueño de la galería y hurga en los cajones, desordena los papeles. Encuentra un manojo de llaves. Las prueba en la cerradura de la puerta que cerró el dueño, una por una. Abre la puerta, regresa por el cuadro y se lo lleva. Cierra la puerta y desliza las llaves por debajo. La pared, en el punto donde estaba el cuadro, resplandece en la oscuridad.

El limbo bajo la lluvia

*

Esa tarde no fui a casa de Mariana porque llovía. Pensé que era mejor quedarme en casa y ver la televisión. Los imaginé a todos en casa de Mariana divirtiéndose como locos, jugando backgammon y tomando bloody marys con camarones, pelados y cocidos, pero preferí quedarme, no sé por qué. Era temprano y si acaso me mojaría un poco esperando un taxi bajo la cornisa de la tienda de marcos y cuadros, abajo de mi casa. En realidad no era la lluvia, aunque la miraba por la ventana y me parecía un muro, una barda de agua que me rodeaba. Y así decidí no ir. Me pareció que lo de la lluvia era plausible, era una buena razón. Ni siquiera Pensé que dejaba de ir porque no tenía ganas.

Ir a la casa de Mariana los viernes era muy divertido, ya lo dije: no eran sólo el backgammon y los camarones, sino el ambiente de casino abierto, la concurrencia, las posibilidades. La casa de Mariana quedaba lejos, de hecho mi pereza no era tan injustificada: ella vivía lejos de mi casa, en la Narvarte, pasando la glorieta de la SCOP, sobre Vértiz, en una casa que antaño habría sido elegante, porque tenía una estancia muy grande de doble altura y un ventanal a todo lo alto montado en una especie de cilindro cristalino que daba a la calle. Sobre aquel ventanal se dejaba caer –más bien Doña Artemisa, la mamá de Mariana, la había puesto– una enorme cortina de encaje que se veía bien por lo inverosímil de su tamaño, por la locura de su caída desde diez metros de altura. Era frente a aquella cortina, encima del brillante piso de mármol, que se solía poner la mesa del backgammon con su paño verde, al centro, y a los lados, en la cantina que rodeaba a la escalera de caracol, los licores, las fuentes de camarones, el hielo en cubetas de cristal. Un par de sillones y algunas sillas que parecían flotar en los fulgores del mármol jaspeado. De hecho, todo parecía flotar en esa casa.

No es que fuera algo propiamente elegante. En realidad era hasta cursi: pero aquella decoración –coronada por una araña escandalosa y gélida que pendía a doce metros de los invitados y formaba curiosas sombras y reflejos, como una horca de cristales– imponía y exigía cierta formalidad. Es decir, que no íbamos a casa de Mariana vestidos de cualquier modo, guiados sólo por la comodidad. Además, Doña Artemisa se vestía de largo y se hacía un moño alto, cosa a la que nos terminamos acostumbrando. Y esta combinación de factores diversos –la araña, la cortina, el moño de Doña Artemisa, los camarones– creaba una gran expectación en todos nosotros, cada viernes, al grado de que habíamos terminado hacía un par de años la carrera de administración y seguíamos reuniéndonos allí siempre puntuales, siempre los mismos.

Para qué mentir si todas las mujeres de nuestro grupo esperaban encontrar al hombre de su vida en casa de Mariana, y justamente para eso se arreglaban con esmero. A veces la reunión –siempre concertada por los papás de Mariana– semejaba uno de aquellos desfiles de moda, con las modelos emulando diversas situaciones, diversas actitudes, solas y observadas. Yo misma gasté cientos de veces en un vestido caro con la esperanza de ver que por milagro se materializara un príncipe azul tras la cortina de encaje. Y a los hombres les pasaba algo similar: esperaban la llegada de un gordo magnate de smoking blanco con un grueso puro entre los dedos, anillo de rubí y ofertas jugosas de trabajo, de negocio multimillonario. Y aunque no aparecieran, ni los príncipes, ni los magnates, ni las princesas, seguíamos preparándonos para su llegada, porque la música y los dos meseros uniformados que nos recibían cada viernes, llevándose con circunspección nuestros abrigos al armario de visitas, nos hacían sentir que en casa de Mariana todo podía suceder.

De hecho siempre éramos los mismos, a excepción de una

vez en que llegó una prima de Mariana que vivía en Puebla. Diana, se llamaba. Se sentó como una reina en uno de los sillones, con la falda ancha bien extendida, las caderas anchas ocupando rotundamente la mitad del mueble, y contó unos chistes que pensándolo bien eran como de la primaria. Aun así, todos los hombres de la fiesta permanecieron horas arrodillados o acostados a sus pies encima del frío mármol y la escucharon con interés profundo, olvidados de sus camarones. Todavía pasaron ratos eufóricos en las reuniones posteriores evocando los chistes y la falda de flores sobre fondo negro de Diana, extendida entre ellos como un país inconquistable. Diana tenía un novio en Tapachula y no volvió jamás.

Don Apolo, el papá de Mariana, se parecía más al hombre de negocios con que soñaban nuestros amigos, aunque en vez del frac y el anillo, llevaba una guayabera verde claro bordada y unos Delicados apestosísimos que le amarilleaban los dedos. Pero era encantador. Orquestaba las partidas de backgammon, anotaba los tantos de cada jugador, llevaba la lista de los retadores y al ganador de la noche lo premiaba con un coctel de su invención, devastador según me habían dicho, y una visita al burdel de la colonia durante la semana. En realidad nadie quería ganar al backgammon, excepto las mujeres, a quiénes nos obsequiaba con un vals delicioso alrededor del salón. A cada quien lo que le corresponde, solía decir.

Y era cierto que todos buscábamos ahí lo que nos correspondía, de alguna manera. Quizás era aquel un mundo pasado y rancio, pero en su limpia superficie brillaban las ilusiones, los espejismos. Como cuando uno se asomaba a la casa de Mariana desde la calle. A través de la cortina de encaje, el interior blanquecino y las figuras volátiles bajo la luz de la araña tenían algo de divinidad. Algunos de nosotros habíamos hablado en cierta ocasión de que el cielo o el limbo debían ser como la sala de Mariana, y Dios como sus papás, porque a la semana le otorgaban una razón de ser, un día al cual llegar con esperanza, aunque en realidad allí nunca pasara nada.

La tarde en que decidí no ir a casa de Mariana, pensé muchas cosas frente a aquella lluvia que no cesó. Traté de imaginar cómo se veía aquel salón iluminado bajo la lluvia, y no pude. Me percaté de que siempre había hecho buen tiempo para llegar a casa de Mariana, o por lo menos aquella era mi impresión, de que la casa brillaba, recortada y clara contra las palmeras del camellón de Vértiz, bajo la luna dorada y las estrellas. Como si la casa de Mariana estuviera en el desierto, y no en la colonia Narvarte, y fuera en realidad un palacio o un templo. Y de alguna manera, el no poder imaginar aquel limbo bajo la lluvia, aunado a la sensación de que aquellas visitas podían durar una eternidad, me hicieron desistir. Creo que por eso no fui.

Casi todas las mujeres del grupo seguimos solteras. Será que nuestros compañeros nunca nos parecieron gran cosa al lado del príncipe azul que pudimos haber encontrado en casa de Mariana. Y creo que a ellos les pasó algo similar, junto con los tratamientos que se tuvieron que hacer por las visitas al burdel con Don Apolo. Lo único que sé es que dejamos de vernos porque aquella tarde en que no fui a la casa de Mariana fue la última, nadie se presentó por diversas razones, diversos inconvenientes que nunca habían existido antes. Y nadie regresó después, por lo que sé. Ya no he tenido con quién comentarlo, pero a veces, cuando hay viento y las montañas se recortan claras contra el atardecer, cuando en esta ciudad veo la luna y las estrellas, me pregunto si Doña Artemisa, Don Apolo y Mariana existieron en verdad.

La sonrisa de Brenda

*

Sí era ardua la subsistencia, el penoso camino a la oficina, el trabajoso rasgueo de las hojas y la tontería de las secretarias. Sí era difícil, sí costaba. Pero siempre, puntual, estaba Brenda, su blusa llamativa y sus aretes grandes, destrozando cada día el corazón de Juan con esa gran sonrisa, inimaginable, de labios rojo oscuro tan bien pintados que parecía haber nacido así, con la boca roja, henchida y un poco vulgar. La sonrisa de Brenda era un caleidoscopio, tenía atisbos de amargura y dolor, de voluptuosidad y de nostalgia, pero se perdían entre los pliegues de los labios: flotaban levemente y se volvían a ocultar en aquella barca roja que navegaba con orgullo a la mitad del rostro blanqueado, untuoso, se sostenía a fuerza de sonreír y a veces se sumía en la taza de café o en un gesto de contrariedad frente a la máquina de escribir, frente a las desconocidas letras que sólo copiaba y copiaba sin comprender la intrincada música de sus significados. Entonces Brenda guardaba su boca dentro de otra boca de pura carne, aspiraba su propia boca en aquel gesto consternado, como si al no entender el sentido de la palabra le fuera imposible decirla, decir cualquier cosa o proferir cualquier sonido. Y sus pequeños ojos sin color desaparecían tras una floresta abigarrada de pestañas negras. Del rostro de Brenda no quedaba más que un enorme malvavisco de cabellera roja pegado a la máquina de escribir, y cuando descubría a Juan observándola, volvía a florecer con su sonrisa y sus pestañas se destrababan como las dentadas hojas de las plantas carnívoras. Y en la sonrisa de Brenda Juan alcanzaba a ver un íntimo restaño de dolor que se hundía con rapidez, y una diminuta lágrima que quedaba apresada en sus pestañas.

Cuando tomó el trabajo, pensó: Una oficina, bueno. Mejor, se dijo Juan: quería sudar junto a la multitud todos los días en el metro, llorar las penas de la gente, y en una oficina sórdida y oscura redimirse, libar el amargo néctar del resentimiento y la grisura con fines literarios, y ser un mudo testigo de las vidas pardas pero llenas de complejidades de todos sus compañeros de oficina, seres atormentados con seguridad, atosigados por la pobreza y llenos de desesperación. Acudieron a su mente miles de citas literarias, pensó que paladearía con esmero cada hora puntual, cada mirada al reloj, la salida jubilosa, la entrada somnolienta, el lunch grasoso y el café pasado por varias aguas. Estaba seguro de que esta vivencia le revelaría una conciencia secreta de todas las maravillas que laten detrás de la grisura, de lo monótono. Soñó que cada empleado oscuro le contaría una historia, que cada golpe de lápiz revelaría mil sufrimientos, y que bajo aquella depresión constante, tormentosa, bajo las pequeñas intrigas y los pequeños deseos incumplidos de cada uno vería las crestas de las enormes olas de la tragedia humana alzarse sobre su cabeza, diariamente, hasta quedar empapado y limpio de su propia existencia intrascendente. Deseó que la oficina fuera oscura, los empleados feos, miles de Franz Kafkas rumiando desdichas detrás de los escritorios, almas exaltadas y plenas de devoción.

Pero el primer día en que se presentó a trabajar fue atacado como un vampiro por la luz que entraba por todas las ventanas. El lugar olía bien, todo parecía ser agradable. Pensó que se respiraba demasiado y que las secretarias tenían demasiado tiempo para arreglarse. El ambiente era de optimismo. Todos sus compañeros iban bien vestidos, sonreían con fe en el futuro, y esperaban ganar tal o cual puesto, felices siempre de ganarlo o no, porque –le explicaron– ante todo había que tener una actitud positiva en la vida y ver únicamente la parte buena de las desgracias. La oficina resultó ser esa cosa bonita, olorosa a café, té y refrescos, a perfume y buen humor, una cosa terrible. Y ninguno de sus compañeros parecía tener un solo problema, todos ganaban bien, nadie iba en metro, a todos les daba asco. Parecían transfigurarse con el sueldo, que los hacía cada día mejores, como si cada pequeña compra, cada inversión que hicieran en su patrimonio o en su aspecto, un traje, un auto o una cámara fotográfica, les practicara una especie de cirugía plástica. Todos eran creativos, decían, le debían la vida a la empresa y tomaban cursos que los hacía mejores, siempre mejores, cada vez más relucientes y en perpetuo duelo de sonrisas. Y si alguno llegaba a proferir una queja, era como el lamento de una princesa que perdiera una uña: brotaba como un pequeño chillido y se desvanecía en suspiros, en risas, en cursos de mejoramiento personal.

Entonces sólo Brenda tenía esa cosa medio vulgar, había luchado, se le notaba, no iba por el mundo con facilidad, no, se turbaba y la pasaba mal cuando Izazaga el jefe pasaba frente a ella, y sonreía con su sonrisa derretidora, enorme y llena de oculto sufrimiento. A Juan le interesaba ella, aunque no sabía con exactitud qué le pasaba, y si eran verdad los destellos de amargura que a veces iluminaban su sonrisa. Y Juan, pasado el golpe de los primeros días, se aferró a Brenda para no naufragar en el ambiente histéricamente positivo, para no acabar comprándose trajes y cámaras y olvidar quién era. Él, que sólo podía ver la vida en el sufrimiento –así lo habían educado y había leído muchos rusos que le parecían la pura y única verdad– percibía todo aquello como mortuorio, como triste, en el fondo, más pobre que el sufrimiento, humano al fin, y se limitaba a espiarla, a espiar sus enormes sonrisas y aquel gesto de dolor que se transparentaba en cada una de ellas, en los colores exageradamente alegres de sus blusas y en sus pesados aretes, y se regocijaba profundamente si acaso aquel gesto de dolor se le acentuaba un poco, se notaba demasiado y transformaba su sonrisa en una mueca, una mueca solar, porque sus sonrisas eran solares, eso le parecía, y los ojos de Brenda cambiaban de color con la luz. Al cabo de unos meses de observarla a distancia desde su escritorio, con discreción y miedo, conocía de memoria todo su guardarropa, y el curioso orden en que alternaba la puesta de sus blusas, la verde los días lluviosos, la amarilla los lunes, la azul los viernes, y diagramaba aquellos cambios y los cambios de peinado, y sabía cuándo, con exactitud, a partir del día en que llegaba con la blusa de flores y la maraña roja del pelo un poco ladeada, asomaría la tristeza en su rostro. Juan llegaba aquel día temprano, con ilusión, como quien se dispusiera a mirar el paso de un cometa o la aparición de un eclipse. En efecto, Brenda se eclipsaba, mostraba su parte oscura, mostraba que tenía una parte oscura. Y ese día Juan lo celebraba llorando toda la tarde en el sillón de su casa pequeña, invadida en la lucha contra su ambiente de trajes, cámaras fotográficas y papeles de colores. En realidad le daba miedo acercarse a ella, invitarla a salir. Desde que entró a la oficina por primera vez, no habían intercambiado más que el riguroso saludo y despedida. A veces escuchaba sus conversaciones con las otras secretarias, y le parecía que hablaban una jerigonza extraña: sobre vestidos, sobre perfumes y películas americanas. Al igual que el resto, Brenda se exaltaba en las conversaciones, cacareaba como una gallina y desplegaba sus blusas de color como una mariposa. Las otras siempre le traían dietas distintas para que adelgazara, porque en aquella oficina la gordura de Brenda era vista como una imperfección a corregir, y la animaban, le aconsejaban terapias y cursos, gurús, yoga, y Brenda se inscribía a todos los cursos, todas las terapias, traía frascos con comida de dieta, era obediente y también deseaba mejorar. Pero no mejoraba. Y Juan la descubría justo en el momento en que quedaba sola frente a su máquina, y la amargura brotaba de sus labios. Entonces la imaginaba llorando en las tardes por una desgracia que dominaba su existencia entera, una desgracia terrible, comiendo golosinas y refrescos en la oscuridad, untándose cremas en la soledad más profunda, luciendo su amargura ya sin sonrisa, su boca anclada al mentón, a la deriva. Juan ansiaba conocer esa desgracia, hacía mil cavilaciones, tesis, antítesis e hipótesis mientras compraba

31

camisas en las tardes, sin darse cuenta, derrochando su gran sueldo como si debiera deshacerse de él a toda costa y llegar a fin de mes pobre, necesitado de subir al metro y de comer en loncherías verdosas antojitos infames. Ahí paladeaba lo que era la vida. Pero llegó un momento en que se halló totalmente obsesionado con Brenda, no podía dormir en las noches pensando en Brenda y en su boca roja, en su aspecto de malvavisco, y ansiaba tocar los mechones rojos de su pelo y escucharla narrar historias terribles, una infancia miserable de huérfana con el padrastro que abusaba de ella y la madre alcohólica. Y hubiera dado su vida por consolar a Brenda, por darle un poco de genuina felicidad sin vestidos y sin optimismo, aquella felicidad que solía ir acompañada de las lágrimas, aquella redención. Pero el día en que se dijo que quizás estaba enamorado de Brenda desechó la idea por completo. Enamorado no. Él *amaba* a Brenda, quizás en un sentido religioso, quería que su alma comulgara con la de Brenda, era distinto. No la deseaba, de hecho hacía mucho tiempo que no deseaba a nadie, no estaba enamorado de Brenda, pero se hubiera casado con ella si eso le proporcionara a ella un poco de felicidad y de consuelo. Y fundarían juntos una escuela para niños pobres. El día en que pintó en su imaginación este cuadro, Juan fue dichoso a comprarse una Minolta, y lloró en la tienda. Juan lloraba cada que podía, y eso apaciguaba su existencia. Hubiera querido que la boca de Brenda navegara en sus lágrimas, y que sus ojos sin color se tornaran azules de felicidad. Sí, sí amaba a Brenda. A partir de entonces fue a la oficina con más ilusión, y no dejó de mirarla. Brenda, desconcertada, sonreía con todas sus fuerzas, hasta cansarse. Y finalmente, un día Brenda no se contuvo más y se deshizo en llanto.

Los compañeros se echaron todos un poco hacia atrás, como si vieran un espectáculo de circo, y las compañeras se apresuraron a restaurar la sonrisa de Brenda a como diera lugar. La abrazaron, le dieron un té calmante, le hicieron mil preguntas y la consolaron hasta que Brenda recuperó su compostura de malvavisco. Regresó del tocador peinada, arreglada, como si hubiera pegado los pedazos de un jarrón. Juan no podía dejar de mirarla con deleite, recordaba sus ojos rojizos, los labios caídos, los chillidos, el dolor. Por fin había visto el dolor en Brenda, su profunda humanidad, y él también quiso llorar de éxtasis, de alegría, dar gracias a Dios. Izazaga tomó la mano de Brenda y le dio unas palmadas, la mandó a su casa a descansar y le dijo que no se preocupara y se tomara el día. Y Brenda se retiró discreta, sonriendo a todos menos a Juan. Juan no se había dado cuenta de que él, tan taciturno y serio siempre, estaba sonriendo como un bobo, feliz porque Brenda era desgraciada y era humana y lloraba y le pasaban cosas. En cuanto se dio cuenta de que lo miraban con reproche, se levantó y se fue siguiendo a Brenda, gritándole para alcanzarla, diciéndole estupideces como yo te comprendo, si bien no había logrado escuchar absolutamente nada de lo que le relató Brenda a las compañeras del té.

Pero Brenda cayó en la trampa, si es que aquello era una trampa, y se detuvo y por fin Juan le invitó el café tan ansiado, y se preparó para escuchar un relato pueril, seguramente, de las desgracias de Brenda, pero revelador de algo, de algo quizás divino, quizás inalcanzable, incomprensible y burdo como el sudor de los pasajeros del metro y sin embargo tranquilizador como las miradas torvas de los pasajeros del metro, algo que le diera el calor de la especie, el compañerismo de las ánimas que no encontraban sentido a la existencia. Se sentaron en un cafetucho oscuro, feo, y lleno de manchas en las mesas, los atendió una mesera horrible, que podía quererlos envenenar, y así sentados Juan por fin le agarró la mano a Brenda y le dijo tranquilízate, cuéntamelo todo. Pero Brenda estaba reacia, no parecía entender ni la situación, ni la fonda miserable, ni el entusiasmo de Juan, y su boca se replegó, desapareció, aterrada entre su otra boca de carne. Juan la sacó de ahí, la tomó de la mano, la subió al metro. Brenda estaba en una especie de parálisis cerebral, miraba a su alrededor como si estuviera en el planeta Marte, y sin embargo seguía a Juan obediente, vencida. Hasta que llegaron al departamento de Juan. Juan estaba muy asustado, no sabía bien qué estaba haciendo, quería a toda costa cumplir su fantasía de todas las tardes desde que amaba a Brenda, y enloquecidamente apartó las camisas y las cámaras fotográficas hasta que surgió el sillón donde él lloraba. Casi empujó a Brenda sobre el sillón y la contempló, en su sillón, por fin, como tanto había ansiado. Entonces repitió lo de tranquilízate, cuéntamelo todo. Pero Brenda sólo ponía su sonrisa, esta vez no vulgar, una sonrisa bobalicona, deseosa, y Juan la miró estupefacto, vio cómo la sonrisa de Brenda parecía un espejo brillante, untuoso como el resto de su cara, sin rastros ya de amargura ni de sufrimiento ni de llanto. Y vio cómo sus pestañas de planta carnívora se cerraban sobre él. Pero resistió, insistió, le recordó que había llorado, que *algo* terrible le pasaba, le dijo que él la quería ayudar, hacer feliz, que se casaría con ella si era necesario y pondrían una escuela para niños pobres. Pero que era absolutamente necesario que le relatara sus sufrimientos. Y Brenda se avergonzó, bajó la guardia, su boca se ancló casi hasta el cuello, casi hasta su pecho, y sus pestañas liberaron muchas lágrimas.

Me está saliendo bigote, dijo Brenda. Y Juan no entendió al principio porque estaba soñando con lo del padrastro que abusaba de ella. Me está saliendo bigote, repitió ella. Y explicó minuciosamente un tratamiento de hormonas al que estaba sometida para luchar contra tan terrible situación. Aclaró que las hormonas la tenían en una zozobra anímica constante, que se deprimía con facilidad y que tenía ganas de llorar a veces. Pero cuando terminara el tratamiento, todo iba a estar bien y tomaría una terapia de rehabilitación y un curso de comunicación humana.

Entonces Juan, antes de responder cualquier cosa, decidió que iba a olvidar por completo cada palabra de las que acababa de escuchar. Hasta que no recordó absolutamente nada, ni siquiera la palabra bigote. Y entonces habló, le pidió matrimonio y le dijo que la amaba. Sí se casaron, y pusieron una escuela para niños pobres. Pero cada vez que Juan sacaba a colación el tema del padrastro violador y la madre alcohólica, Brenda tenía que recordarle que sus papás vivían perfectamente sanos en la colonia Narvarte. Y Juan agarraba un aire ausente.

De los largos amores de Leika Bom
y las lágrimas de cocodrilo

*

Vimos a Leika Bom despertar un día. Había dormido mucho, quién sabe cuánto, pero no le importó. Se puso a buscar en su maleta escondida arriba del clóset qué había quedado de sus amores pasados. Encontró muchas cartas ajadas, perfumes y regalos. Un osito de peluche también. Y muchas, muchísimas lágrimas de cocodrilo de todos los colores guardadas en un gran frasco azul. Estuvo a punto de volverse a dormir del aburrimiento, pero le entraron ganas de un café con leche y de mirarse al espejo.

El espejo decía: pelo corto, algunas
arrugas, ojos cafés, labios pálidos,
un camisón de franela de mejor no
adivinar el contenido, aretes, collar,
sombra en el párpado (azul).

Leika Bom se puso una bata rosa y salió a darle de comer al oso del patio. Ya estaba muerto (de inanición, por supuesto), y sus huesos se parecían mucho a los cráneos de bueyes en el desierto. Menos por los cuernos. Regresó a la cocina, revisó el refri y estaba vacío. Y entonces decidió ir al supermercado. Pero miró por la ventana y no había nada a su alrededor, sino un desierto rojo.

–Debe ser el invierno nuclear –le dijo al microondas oxidado. Había una galleta quemada en el interior. Leika Bom se la comió, se llevó su café al cuarto (porque *algo* debe haber para que sobreviva por lo menos unas páginas), se sentó sobre la cama con su bata, frente a la maleta, abrió el frasco de lágrimas de cocodrilo y le dio un sorbo. Su cerebro se movió aparatosamente dentro de la cabeza, formándole curiosos y ondulantes chipotes en el cráneo.

El amor no es fácil, fue lo primero que pensó al recordar a su primer amante, al que abandonó por otro, por otro y por otro. Si a uno le faltaba un pie, al otro le sobraba un brazo. El tercero tenía la nariz demasiado grande y el cuarto hablaba demasiado. Y así con el quinto hasta el vigésimo tercero, hasta el quinientos cuarenta y nueve que terminaba la lista de imperfecciones. ¿Una mala mujer?, ¿nos encontrábamos frente a una malvada vampiresa, o frente a una mujer fatalísima llena de ponzoña y desamor? No precisamente. Leika Bom era una mujer indecisa, demasiado indecisa quizás para convencerse de que un amor hubiera sido el mejor amor en todas sus variantes y acepciones. Definitivamente buscaba lo mejor para ella y para los suyos (los quinientos cuarenta y nueve que alguna vez fueron suyos, aunque algunos por varios minutos, nada más, de relampagueantes encuentros y chisporrotazos), y nunca lo mejor fue seguir o quedarse. Pero, ¿por qué?, se preguntaba y se hundía uno de los chipotes mientras sentía con cierto disgusto cómo el chipote volvía a salir en cualquier otra parte de su peinado. Cuando había humanidad y había hombres, siempre se podía continuar, si no con uno con el que seguía, y al parecer eso era todo. Pero le dolía el corazón de pensarlo, más que el invierno nuclear de afuera. Ése no tenía remedio. Su dolor de corazón tampoco, pero necesitaba estar en paz. Si no, se volvería a dormir –pensó mientras bebía otro sorbo de su diminuto y sin embargo inacabable café– y quién sabe si volvería a despertar. ¿Podía recordar a todos sus amores? Un chipote le estalló y millares de papelitos caligrafiados se esparcieron sobre la cama. Qué cursilería, pero qué verdad. El amor –por lo menos para ella– era mínimamente cursi o no era. La florecita en el ojal, la palabrita tierna, todo eso contaba siempre para rendir el cuerpo y el alma, o fingir que se rendía, era lo mismo. Y era siempre inalcanzable. Y era siempre aburrido cuando se lograba, como cuando los hombres se cansaban de la mujer que lograban tener, por decirlo de la manera más conocida. La palabrita. ¿Y después de la palabrita? Había que buscar otra palabrita, otro pedazo de corazón sanguinolento envuelto en un moño, eso era la palabrita. Ah, qué fastidio, qué cantidad de incongruencias. Eso pensó ella a punto de volverse a dormir. Sí, sí, pero es bonito, ¿o no? (esto es para que cuente una historia y deje de hacer teorías). Una historia. Todas las historias de amor son exactamente iguales, historias de deseos que se cumplen o que no se cumplen. Si se cumplen, la gloria, el eterno letrero de final en la pantalla, sin continuación; si no, una frustración. Y luego a veces vienen los hijos, y ya. Bueno, pero hay algo oscuro, debe haber un momento oscuro, no revelado, que le dé sentido a aquella ceremonia tan repetida, fuera de la reproducción de la especie, pensó, pensamos, viendo cómo la especie había desaparecido, por lo menos en aquel momento. A Leika Bom se le hundió el cráneo. Buscaba con el tejido que cubría su cerebro algo en su cerebro que fuera oscuro. No, no, no. Bueno, bueno. Hay un momento oscuro. Porque es misteriosa la rendición, después de todo. Dicen que son las hormonas, y por eso es oscuro, porque finalmente no se entiende nunca por qué se está con A o con Z, y no con B o con X. Parece que es porque unos huelen bien, y otros no. Pero bueno. Un momento oscuro.

Pensaba que era misteriosa la rendición. El encuentro de las pupilas, los escalofríos y todo lo demás. Algunas veces le había pasado, y de hecho era cuando más lágrimas de cocodrilo había guardado en el frasco. Se volvía bonita, las palabras le salían floridas y hasta borboteaba cierta generosidad en su estómago. No pensaba más que en el de los ojos o el de las manos o el de las palabritas, según de quién se trataba, sí flotaba como en una nube, sí creía en Dios, y no dormía tanto. Sufría con delicia, era como una perpetua caricia cerebral y ¡oh, los abrazos!, ¡oh, los besos! Y había algo triste y amargo en todo eso. Que se terminaba. Siempre, puntualmente, al cabo de dos minutos o de diez años, aquello se terminaba. Entraban la pachorra y los bostezos, y el siguiente, también. Por lo menos en su caso. Era como un pedazo de una obra que siempre le gustaba representar, lo que durara el libreto. Pero además lo hacía sinceramente. No cualquiera. Las historias, las historias, todas se reducían a eso. Al nacimiento del Cupido y a su caída rápida en cien metros libres.

Bah, bah, bah, exclamó Leika Bom. Y se sonó la nariz. Comenzó a llorar a moco tendido. Es que su vida no era más que una cadena de fruslerías, es que ahí no había nada importante. ¿Sentirían las monjas los mismos escalofríos con Dios? Quizás, perpetuamente. Pero qué tortura, por otro lado. Ella en el fondo —y aquí se escuchó un rugido contundente de su estómago hambriento que recordaba la galletita del microondas— hubiera querido pensar que el amor tenía, sí, como decían los libros, *algo* de sublime. Por eso tanta lágrima de cocodrilo, a fin de cuentas. El ansiado abrazo, por poner un ejemplo. El momento de la declaración. La rodilla —metafórica o no— en el suelo. ¿Por qué era —porque lo era— tan, pero tan lleno de trompetas, tan pomposamente importante, trascendente y crucial? Se olvidaba el nacimiento, la muerte, la lenta ascensión al bienestar por medio del trabajo, el camino a la gloria, el sentido de la existencia en el mundo. Y no sólo olvidaba —por lo menos ella— aquellas cosas en tan elevada y —hay que admitirlo— solemne circunstancia. Hasta llegaba a la desfachatez de pensar que aquellas cosas no importaban, que había hallado la respuesta y la cura a la muerte, a la soledad, al mal, a la violencia, al odio. Pero aquello pasaba y se redoblaban la muerte, la soledad, el mal, la violencia y el odio. Era una droga misteriosa que no hacía más que engañar a la humanidad. Era el amor a fin de cuentas un asco. Tanto como la vergüenza de oler a sexo en una oficina. Y aquí Leika Bom pataleó como un recién nacido. Después bufó como un jabalí, luego se incorporó como un león y se miró al espejo como un ciervo al estanque.

El espejo decía que acababa de
perder la cabeza. La tenía hundida
por debajo del camisón y se veía muy,
pero muy, muy mal.

Sacó la lengua por el escote y tomó un poco de agua de su
espejo. Ahora estaba segura. No debió haber despertado. Pero
la maleta de cartas. Ahí seguía. La cabeza hizo un chasquido
seco al resurgir –aunque el peinado estaba deshecho, si es que
alguna vez hubo un peinado sobre su cabeza. Las cartas, las cartas, pensó, qué bueno, las cartas. Sí, sí, léenos las cartas, le diji-
mos. Y nos volteó a ver tosca y huraña, y tapó las cartas con su
espalda, pero con vista de rayos equis las pudimos ver. Muchas
estaban borradas por el tiempo. Otras no.

¿Qué decía ahí, donde el manchón azul? Decía Mi Leika, Mi
Leika Bom, cuánto te extraño, no puedo vivir sin verte, sueño
contigo a todas horas del día y de la noche, todo me recuerda
a ti, todo suena como tu voz, todo se ve como tú, maravilloso,
todo es sedoso como tu piel, el mundo es bonito desde que te
conozco. Antes todo era horrible, mi vida era un pantano
oscuro y lodoso. En cambio ahora que sé que estás en el
mundo, lo concibo siempre como un jardín plagado de her-
mosas flores y de pequeños conejos que saltan con gracia y de
pajarillos que revolotean y cantan. Su canto me impide
escuchar lo demás, es abrumador. La felicidad no me deja respirar, estoy contento todo el día, navego con una sonrisa
embrutecida por las calles, no puedo dormir, tengo unas ojeras
hasta el suelo, no he comido nada en varios días y estoy a punto
de morir. De todo esto tú tienes la culpa. Desde el hospital,
Nicanor. Éste fue una víctima, murmuró Leika Bom todavía de
espaldas. Es cierto que el amor acaba con la gente. Y luego
había otra carta. Leika Bom, ya no sé qué hacer, estoy harto. O
cortas tú o corto yo. Ya no soporto el aburrimiento. Necesito ir
al cine con los amigos, divertirme, bailar. No me gusta mi vida
contigo, es tediosa, es siempre la misma. Por favor pongá-

40

monos de acuerdo en quién se queda con el departamento y la pecera. Recuerda que siempre te querré. Marco Aurelio. ¡Ah!, pensó Leika Bom: a ese siempre le estaré agradecida. Tenía un gran sentido práctico. Y recordó con mucho amor a Marco Aurelio, al que conoció en un desfile. Bueno, bueno, pero otra carta. Quizás en la torpeza aparente de las palabras de amor se encuentra la clave para su misterio.

Y en los libros, claro. Pero todos se le habían desintegrado, por desgracia.

En ese momento, Leika Bom tenía una enorme verruga en la nariz, como las brujas. Leyó otra carta, labrada en un trozo de piel de tigre salvaje. Leika Bom, Bom, Bom, decía, tu nombre me resuena como los tambores que llaman a los hechiceros, tu nombre es una invocación, un rito, un llamado a la lujuria, a los sentidos. Eres la Diosa del sexo, la llama eterna de la pasión carnal. Luego seguían unas cuantas palabras fuertes, *in crescendo*, y al final un manchón que impedía leer la firma. Menos mal. Aquello terminó pronto, recordó Leika Bom. Y cuando se dio cuenta de que estaba recordando, sintió un vértigo y le salieron cuernos. Mugió con fuerza. Las cartas se congelaron. Se quedaron flotando, tiesas en un gran trozo de hielo a la mitad de la cama, sus palabras se mezclaban, se confundían en el reflejo del hielo, se leía amor, amada, hermosura, vida, mi vida, corazón, etcétera, etcétera. Y esto –pensó Leika Bom una vez que se hubo logrado arrancarse los cuernos con unas pinzas, refiriéndose al trozo de hielo– y esto se va a quedar a la mitad de la cama. Nunca debí haber sacado esas cartas. El invierno nuclear resultó más frío de lo que había pensado.

Pero insistimos, Leika, Leika Bom. Tú tienes una gran experiencia. Eras muy conocida en la ciudad –cuando había ciudad–, por tus amores. Tenías una fama pésima, por lo mismo, pero no había quien dejara de sentir cierta admiración, cierta fe. Cuando llegue a los cincuenta, decíamos, va a saber muchísimo sobre el amor. Va a ser una enciclopedia, buscará los temas por orden alfabético, por las letras de los nombres, acudiremos a ella en cuanto tengamos un problema de amor y ella lo sabrá resolver. Será una doctora corazón a escala filosófica.

Bah, bah, bah, dijo Leika Bom y buscó algo de comer en los cajones del tocador, entre los rímmeles carcomidos y los bilets como piedras. Nunca he podido llegar a una conclusión. Los recuerdos me destrozan y me aburren, todo al mismo tiempo, regreso al momento de la rendición, me veo en él, y no entiendo cómo puede haber pasado, como desapareció, quinientas cuarenta y nueve veces, y por qué aún así lo añoro. Con toda mi experiencia no hago más que añorar, no he aprendido nada sobre el amor. Sólo creo que –y aquí balbuceó unas cuantas palabras ininteligibles mientras masticaba un trozo de pizza no sólo verde– y además no tiene sentido. Supongo que ahí está el misterio del amor. Leika Bom lanzó algunas flechas con los ojos, que quedaron clavadas en distintos rincones del cuarto. Y ya no quiero decir más. Y tomó un sorbo muy largo de sus lágrimas de cocodrilo. Y otro también muy largo y se las acabó. Quedó completamente azul. Miren cómo me han puesto, pensó, por último.

Salón Estrella
(Éstas eran las fantasías del peluquero italiano)

*

1

Mientras Ricco se clavaba la aguja en el baño, Rucca, en la cocina, se acomodaba los tubos y el vapor del *herbal tea* la ponía melancólica. Ricco salió al pasillo con la cara lavada y los ojos muy brillantes y le dijo a Rucca en trabalenguas que ya se iba a ver si regresaba. Entonces Rucca se quedó sola en la cocina pensando, pensando hasta que sintió que la cabeza le iba a estallar, pero no había pensado nada todavía, como si tuviera el cerebro lleno de grasa y el spray se le hubiera colado por los ojos. Cuando acabó de mirar el reloj de la estufa dijo: se me va a hacer tarde para llegar al salón. Después vio en *close-up* hacia la ventana con cortinas floreadas y repitió con fervor: me voy a pintar de rubio, me voy a pintar de rubio.

2

(Yo te cuento una historia mientras estás con el secador puesto en el Salón Estrella, porque me conmueves, y porque sé que no me vas a escuchar. Me enternece tu pelo, va a quedar brillante, tieso y cafecito como un bombón. Y lloro al ver tu cara blanqueada a fuerza de cremas, y las cejas que sacrificaste hace tantos años a cambio de aquellas bóvedas renacentistas que te pintas con el inefable lápiz marrón, y que se vuelven góticas cuando te enfadas, cuando sientes que el mundo es injusto contigo y reprimes una lágrima ácida de furia entre la sombra azul de las ojeras.)

3

Lina era una *star* de la peluquería. Sabía poner tintes, y lo que es más importante aún, sabía conversar. Si la chica del salón no te pregunta qué signo eres, mal síntoma, algo se le está chamuscando. Rucca la adoraba. Si no había hecho cita, era capaz de esperarla, esperarla durante días enteros. Y los ojos se le pegaban a las cabelleras que Lina desenredaba, domeñaba con el peine, convertía en animales rizados o abombados, animalitos pulcros, dóciles y coloridos, "natural, que se me vea natural", "no tema, nadie se va a dar cuenta, la van a invitar a un baile de secundaria". Con qué sonrisa arrancaba la cera de las piernas, con qué mirada de conmiseración detenía el aullido que la depilada estaba a punto, sólo a punto de dejar salir, y que rompería la paz espiritual del Salón Estrella. Paz espiritual, olor a spray y batas azul pastel. Rucca pasaba las páginas de las revistas, veía anuncios, recetas y mujeres hermosísimas. El color de moda, rojo fuego, la receta de hoy, espárragos *sautés*, ahora se usan las faldas rectangulares hasta la rodilla, y el trapecio en los cocteles. Paz espiritual.

4

Ricco movía con una bota la página sucia de una revista de autos deportivos. La ungía con la mierda negra de la banqueta, cuidadosamente, como si fuera un pan con mantequilla. Esperaba a Ricca, la chica inalcanzable que lo venía a salvar del charco negro de la esquina de la tienda de televisores en su corcel encantado, en su caballo blanco de dos puertas con quema cocos. ¿Qué marca era el equino de Ricca? La página de la revista parecía un ala de mariposa negra, sucia, sucia del lodo negro y basuriento, ácido, ácido. Ricco se arremangó la camiseta a lo Brando, se estiró como si no le importara nada, como si se pudiera pasar la vida entera entre las pantallas con lágrimas de señoras y risas de señoritas. Pero si no llegaba por él la iba a matar.

5

Rucca se sentó en el trono del salón y miró de soslayo al peluquero italiano. Jamás, jamás me atenderás, maricón, tú nunca preguntas el signo de nadie, ni sabes hacer rayitos, y te miras al espejo con la pistola en la mano. Yo te he visto quemar pestañas con la secadora por distracción. No eres delicado. Lina, en cambio, es un ángel, te deja como una Barbie, te viste, te arregla. Por algo sólo las mujeres jugamos con muñecas. Rucca retó al peluquero italiano, *full shot* de las pestañas, mirada de reproche. Pensaba en Ricco. Lágrima. Todos, todos los hombres, son unos malvados. Un hombre en un salón de belleza es una mancha. Lo profanan todo, no pueden quedarse recluidos en sus billares o en sus cantinas. No respetan la intimidad de una mujer. Echó la cabeza para atrás, cerró los ojos. Qué vergüenza.

6

(Cuando veo tus uñas, pienso en los pollos. Recuerdo a una anciana que era dueña de cierto café. Su sobrina le hacía el manicure todas las tardes. Y la pobre se defendía melindrosamente. "No, hoy no, por favor." Sus gritos sonaban como los maullidos de un gatito recién nacido, apenas se escuchaban. La sobrina le quitaba los pellejos, le arreglaba la cutícula, era una perfeccionista. Para consolar a la pobre anciana, escuálida y pequeña, su sobrina le decía "para que se vea bonita, Constanza, a lo mejor y hasta se consigue un novio". Y le agarraba con fuerza las manos, aquellas patitas de pollo a punto de desangrarse, pero Constanza no se defendía. Quedaba blanca, desfallecida, como un pedazo de tela, como un kleenex.)

7

Aparece un auto inmenso, blanco, limpísimo. Ricco se moría de sueño. Se había atragantado quién sabe cuántos pasteles y bolsitas de papas con refresco. Había fumado muchísimo, estaba muy cansado. Ricca la rubia paró el trasero y ondeó con el brazo un pañuelo invisible: "*Ciao, caro*". Y sonrió con la boca rosa y grande y sensual y con los dientes blancos y alineados y dobló una pierna morena y torneada, y sacudió el vestido blanco, minimini y pegado y echó para atrás la cabeza y puso a revolotear la cabellera rubia y larga y finísima como la de un ángel. Ricco caminó hacia ella con el vientre hinchado, con las ojeras, con el aliento asqueroso, con la mierda del charco en los zapatos. Y Ricca, ojos azules azules y frente lisa, lisa, se abrió una pequeña arruga, un mohín de molestia por el aspecto de Ricco. Qué descuido. "Pareces un idiota."

8

Rucca espera, espera a que Lina la lleve a la silla donde lava el pelo. El estropajo blondo se le eriza de sólo pensar en el agua tibia corriendo entre las raíces. "Como un conejito blanco", piensa, voluptuosamente. Ya olvidó al peluquero italiano, no hay que molestarse con esas cosas. Lina la saluda, cómo está mi cáncer, ya leyó su horóscopo de la semana, aquí lo tengo. Y le pone el shampoo, el acondicionador, y la ampolleta. La corona con la toalla retorcida de turco. "Si las vieran sus esposos qué dirían." Y Rucca reprime una lágrima. "Lo siento, lo siento, cómo iba a olvidar que usted era viuda, me refería a las demás." No importa, todo huele fresco, fresco el shampoo y el tinte amarillento, como a hierbas, como a anuncio, así deben oler los anuncios. Rucca suspira, se relaja, olvida. "Ahora vengo, me hablan por teléfono." "Ay, Lina, siempre tan requerida, con tanto trabajo pobre muchacha." Y un mal pensamiento brota desde abajo de la toalla. "Cómo me gustaría casarla con Ricco y que fuera mi hija. Me lavaría el pelo todos los días."

9

(Me encanta ver cómo te fabricas la cara. Cuando termina el secado, te vuelves muy meticulosa: primero la base, después el esconde-ojeras y el maquillaje. Te pasas varias capas hasta que desaparece tu rostro, pareces un maniquí. Y entonces te vuelves una artista: te abres los ojos con el lápiz azul y la sombra plateada, es misterioso, luego las cejas curvas curvas y aquella boca que le copiaste a alguien más. Extiendes las chapas rosas en las mejillas mofletudas y caídas. Por fin. Reconoces tu propia máscara y sientes alivio. "Hola aquí estoy", le dices al espejo, le dices al mundo entero. La otra, la que llora debajo de la máscara, ha quedado asfixiada, muerta. Estás lozana, compuesta. Vale la pena salir a la calle, y los tacones y el vestido. Al final te pones los aretes, y hasta olvidas, Rebecca, lo que te deprime tener los agujeros tan abiertos y la broma de tu nieto el otro día que te dijo que se te iban a caer las orejas.)

10

No te pongas así, le dijo Ricca a Ricco mientras el corcel blanco daba saltos enormes sobre los edificios y los periféricos y las colonias lodosas. Me plancha que me planten. Quedas todo pringado como los niños. Pero no me importa porque yo te quiero y cuando veo tu cuerpo enfundado a punto estallar en el asiento del auto mientras manejas pierdo la dignidad, me convierto en un idiota. Eres como un esclavo Ricco, pero se te paga bien. No entiendo por qué te descuidas tanto. Sólo espero a que se te reviente la lycra y me des una bofetada con esos globos enormes. A veces estoy a punto de quererte, pero no me conviene, creo que terminaría hecha un asco y sin dinero ni para el rimmel. Estalla, por Dios, estalla de una vez, y los dos nos quedamos hechos un asco, no importa, no importa, es lo que tú no entiendes. ¿Sabes Ricco? Si tuvieras un aspecto más decente, te invitaría a mi club. Tiene alberca.

11

Poner y quitar. Lina se puso perfume, se miró el pelo en el espejo, se puso spray, se quitó la bata del Salón Estrella con una hada madrina azul bordada a la altura del pecho. Se acomodó la cadena del cinturón con la hebilla en forma de diamante, se repasó los labios con el rojo fuego de moda y se restiró la falda rectangular de moda y su estómago segregó ácidos ruidosos porque ya sabía que en el restaurant pediría los espárragos sautés de moda. Rucca la esperaba en el trono, derecha,

derecha para que la toalla de visir no se derrumbara, majestuosa como una reina, la reina del Salón Estrella, soberana venerable del gel y la loción, sublime Semíramis antigua como el mundo con las vendas relucientes, barnizadas. "¿A dónde vas, Lina?" "Tito Flavio me invitó a salir. Perdóname, pero es la primera vez. No te preocupes, te quedas con Fabrizio." "¿Quién es Fabrizio?" El corazón de Rucca late, late, late. Si ya lo sabe, y en voz baja lo repite con banda sonora de trompetas. El peluquero italiano, próximo estreno. "No le digas así, Rucca. Es estilista y diplomado." La había dejado indefensa, a merced del quema-pestañas, de la mancha en el mundo limpio y femenino. La mancha en el kotex, debía ser, eso son los hombres, manchas en el kotex perfumado. El pelo con la toalla le pesa, no puede moverse. La toalla está encadenada a la silla, el pelo está pegado a la toalla. Gesto de angustia, mira hacia un lado, hacia el otro. Ve de frente a la cámara. Ahí viene, caminando despacio, la sombra con el batín azul y el pelo a la valentino. En la mano derecha, levantada, lleva un peine. Rucca grita, grita fuerte, se desmaya.

12

(No tiene caso que te lo preguntes. Es un pequeño lujo que cualquier persona se puede dar, es cosa de atreverse. Yo te entiendo, a esa edad, y más si se está sola, los hombres no responden más que con dinero. Pero muchas, muchas, ni se lo confiesan porque les da un miedo atroz de que los hijos y los nietos las descubran. Adiós cabecita blanca, adiós madre que me dio la vida, hola vieja degenerada, hola inmoral. Y se aguantan. Se guardan las ganas en la cabeza, las aplacan con spray y con tintes. Se petrifican los malos pensamientos con gel. Tú tienes suerte, tus hijos te comprenden, te ayudan. Caminas erguida, hacia el auto. La pañoleta es bonita, pero poco juvenil. No importa, no te detengas, está por llegar a tu casa, no lo pienses más. Es un chico, sí, pero si no le atrajera en algo, por algo, no lo haría. Podría ser barrendero, o mecánico. Además, te ves muy bien, Rebecca, acabas de renacer, toda tú eres perfecta ahora. Y yo te quiero, te apoyo, lloro cuando regresas a mí con ese paso de anciana, te he dicho que me conmueves al tocar la campanilla como un perrito desvalido, con decirte que sólo yo la escucho, sólo yo sé que eres tú. Ahora te veo salir, de nuevo alguien, de nuevo Rebecca y me siento orgulloso. Cuando vuelvas al salón te daré un beso.)

13

Ya llegamos Ricco, bájate del coche. Ricco abandonó el paraíso blanco, blanco, suave, suave, puso un pie en tierra y después los dos pies en la tierra, en el césped de alfombrita. Rápido, vas a llegar tarde, mamá te espera. Y Ricca desapareció. Siempre un ruido infernal con el coche antes de esfumarse, aullidos y tumtums, rugidos de león. Saltos y cabriolas. ¿Por qué no se atrevía a tironearla hacia el pasto, por qué no se le echaba encima, por qué no le sacaba todo aquello del vestido, rápido, por qué no, por qué no, por qué no? Porque, porque: la casa en medio de la pradera, el mayordomo y la señora lo espera con la miradita jodida de ya sé a qué viene usted, gigoló, vividor, pocohombre. Y en la recámara del fondo, Rebecca fingía sorpresa, el vestido, los tacones y los aretes a la mitad del cuello. Y abajo el corsé. Cómo estás, es un milagro verte, mejor al grano, me urge picarme y no tengo un centavo. Humillación.

14

Le quitó una pestaña postiza, la otra, se la arrancó. ¿No sabía que crean estática? ¿De qué color teñimos hoy? Primero un corte. Zig zig zig por el estropajo blondo. Dios mío, protégeme del peluquero italiano, me va a cortar la piel, me embarra el tinte en los ojos, no puedo ver, no puedo pensar. ¡Zzzzzzzzzzzzzz!, la pistola, mis cejas, auxilio, estoy sola, sola en el mundo. Todos los hombres son iguales, escoria, escoria en los billares y en los casinos. La metió a la secadora, la exprimió. Rucca flotaba como el gato de la caricatura que se quedaba atrapado en la lavadora. Por todos los poros limpios de toda su cabeza empezaron a salir todos los pensamientos por fin, uno tras otro, uno tras otro, y también las lágrimas se colaron por sus ojos en fila, ordenadamente, como cuando había parido al pobre de Ricco. Pobre de Ricco.

15

(¿Ves? Yo te comprendo. Así, limpia por fin me inspiras ternura. ¿No sientes que eres otra sin aquellos tapones de shampoo, de gel y de spray? Yo sé lo que trastorna a las mujeres llegada cierta edad. Ahora descansa, eres una muñeca, eres mi Barbie, mi Juanita Pérez. Vas a contarme tus sueños y yo te voy a ayudar a encontrarlos. Te voy a contar la historia de Rebecca. Y después me dirás cómo es tu vida.)

Pero Rucca le confesó de qué vivían, ella y el hijo. Y el peluquero italiano no pudo dormir en toda la noche. Dejó el Salón Estrella. Ahora hace pizzas.

Sonata

*

Vera lo miraba. Jan, con los audífonos, estaba en otro lugar, perdido y solo. Poseso. Pero Vera lo seguía observando, con curiosidad, con emoción, después con sed. Jan veía y no veía el paisaje por la ventana del autobús. Los ojos vacíos, las manos laxas, rendidas como con unos grilletes enormes, pesadísimos. Las piernas caídas hacia los lados, dos trozos de carne inerte. Vera posaba sus ojos en él, primero como un insecto que aleteaba, después como un gato que ronroneaba en el cuerpo de Jan, le arañaba el rostro. Las pupilas de Vera se le tiraban encima, lo lamían, hacían ruidos y jadeaban. Pero Jan no estaba ahí. Schumann.

Cuando Jan descendió del autobús, algo le molestaba, interrumpía la celeridad de las notas. Una escala hacia los agudos, otra a los graves, un paseo lento y desacompasado, un andante y de repente un escozor en todo el cuerpo, dolor, picazón. Rascó y rascó. Se quitó los audífonos, recogió sus maletas, tomó el metro, se volvió a poner los audífonos. Allegro, allegro vivace, la montaña rusa... y otra vez el escozor, la picazón, la molestia: los ojos de Vera. ¿Qué tanto miraba esa loca? El deseo, el interés, las ganas que quemaban.

Vera bajó del metro. Ahí estaba Rudolf. Los lentes oscuros, las palabras grises, la indiferencia. Vera recorrió con Rudolf varias cuadras, el bastón con la rueda, las maletas, el perro "¿cómo estás?", "¿te las arreglaste bien?", "me acompañaba la tía en las tardes". La mano helada de Rudolf en su hombro. "Te extrañé." Más tarde, Rudolf montado sobre Vera. El jinete espigado y anguloso, los ojos de nácar brillaban en su propia oscuridad. Los ojos de Vera acariciaban a Jan, y a la música, adentro de sí. Schumann.

Jan sacudía los audífonos. No servían, o no querían servir. Jan se levantó del sillón, puso el cassette, se sentó de nuevo en el sillón, apagó la luz, cerró los ojos. Caricias, cosquillas en todo el cuerpo. El escozor otra vez, como si fuera relamido y devorado por un tigre. Los ojos de Vera. Volvió a reclinarse en el sillón, volvió a cerrar los ojos. Ahora un disco, ahora un compact, ahora un cassette, pero no había remedio. Los ojos, los ojos, los ojos que apuñalaban. Jan salió a la calle para ver si el frío apagaba los ojos de la loca.

Lo había perdido, ya no lo podía ver. Vera suspiró y le llevó su café al ciego. "¿Música?", "no, mejor hablemos, te voy a contar una parte de mi vida que desconoces; una vez me caí de un caballo." Sí, claro, sí, por supuesto, claro que te escucho, sigue, sigue. ¿Dónde estaba? Deseaba ese cuerpo indefenso ante la mirada, ese silencio poseído, poseído también por ella, abarcable, objetual. Si tan sólo lo conociera, lo dejaría siempre solo, a la mitad de la sala. Y lo observaría por las grietas de la pared, por el ojo de la cerradura. Si tan sólo pudiera verlo otra vez. Sí, sí, te estoy escuchando, me distraje por un momento, perdóname.

Jan aterido en un baldío. A lo lejos, la música de un baile y el oído que no podía resistir la tentación de abrirse, de escuchar. Una nota y otra. Los metales. El escozor. Mejor no, mejor taparse con la bufanda, mejor no escuchar. Hacía muchos años que no le escurrían las lágrimas. Regresó a la casa y el silencio, silencio, silencio. El enorme tocadiscos-tocacompact-tocacassette-tocatodo-nodejesdeescucharme como un ataúd negro sobre el piso de madera. Tengo que ver a la loca, en donde sea.

Lo había perdido de vista. Era como si se hubiese vuelto tan ciega como Rudolf. "¿Sabías que el caballo medía tres metros de largo y cuatro de ancho? En la escuela de jinetes lo llamaban Atila, y todos le temían menos yo. No estás viendo hacia acá. Estás distraída. Ya no siento tus ojos ¿Qué te pasa?" "No te veo, pero te escucho. Miro la televisión mientras te escucho, veo un libro de pintura moderna, observo que amanece y que los pájaros vuelan en círculo. Pero te escucho, sigue, siempre te escucharé." Hasta que lo encontró. Estaba en el súper. Se había distraído, buscando algo, se meneaba al compás con el carrito. Benny Goodman.

Departamento de verduras y el escozor, la picazón, en todas partes había música. Departamento de carnes y las caricias en las piernas. Tres por ciento de oferta en el salchichón y ahí estaba. Jan se dejaba hacer, se relajaba, no tan fuerte, espera, no me mires así, no te me eches encima. Calma, te espero aquí porque no estamos solos, no me veas ya. Le estaba gustando. Benny Goodman y a Jan le estaba gustando. Jan se apoyaba en las montañas de manzanas y de plátanos, se contorsionaba entre las latas poseído por fin por la mirada de Vera.

Vera se aproximaba. Olía con la mirada los gemidos de Jan. Mejor se puso los lentes oscuros, pobrecito, lo iban a sacar. Había tirado la pila cuidadosa de pañales y papel higiénico, pobrecito, se había dejado hacer, pobrecito. Desde el suelo, Jan por fin le devolvía la mirada. Vamonos, vamonos, yo pago todo. Perdonen pero mi primo está enfermo, pobrecito.

"Cuando monté a Atila la primera vez, los demás jockeys quedaron sorprendidos. Nadie pensó que aquel animal admitiera a alguien sobre su lomo. Me sentí muy orgulloso. Dimos varias vueltas a las caballerizas, después echamos a andar a trote por el campo, después corrimos. Y aquel día, le di azúcar, toda la azúcar que quiso. Bebimos agua juntos, le acaricié la crin. Atila me veía con agradecimiento. ¿Dónde estás? No siento que me miras, no siento que me escuchas, no te distraigas tanto."

Vera asaltada por el escozor. ¿Ya ves lo qué se siente? Me vengaré de ti, usaré mis ojos y mis manos. No sé quién eres, pero ya no te vas a librar de mí. Jan veía los ojos de Vera, Vera los de Jan. Las escaleras eléctricas, las tiendas y los altavoces. En el silencio voy a acabar contigo, en el silencio te voy a aprisionar. Te miraré por las ventanas, por las coladeras, por los escaparates. Te arrancaré los ojos, Jan. Te arrancaré los ojos, Vera.

"Nunca pensé que Atila fuera tan resentido. Nunca pensé que me aventaría contra aquel matorral de espinas, nunca pensé que me odiara. Los caballos no suelen odiar. Si no se dejan montar es porque sienten una suave indiferencia, una simple falta de ganas. Pero Atila sí odiaba, y hacía cálculos. Caí con los ojos sobre las espinas. Caí de cabeza y mis ojos fueron vaciados por espinas. Ahora sí quiero escuchar música, Vera."

Ojos con ojos, carne con carne, las manos y las manos. Benny Goodman. Te amo, Vera. Te amo, Jan.

Flor de pluma
(Tragedia kitsch en forma de diario)

*

Miércoles 14
Encuentro esta nueva pensión en el centro de la ciudad simplemente encantadora. Su dueña, Madame de Dalle, es una viejecita sencilla y distinguida (usa calcetines a su edad: único defecto). Habiendo encontrado un lugar tan tranquilo y apacible, apenas tengo tiempo para comenzar el trabajo encomendado. Cinco baúles me esperan para ser abiertos.

Viernes 16
Ahora que tengo un pequeño respiro, ya instalado, me daré el lujo de describir mi situación. La pensión, perdida entre las callejuelas del centro, está, sin embargo, a unos pocos pasos del Sears y suele ser visitada por turistas de todo el mundo, pues Madame de Dalle está catalogada como monumento histórico. La pensión es una pequeña casa, de color blanco, al estilo francés del XIX. Ayer tuve el gusto de conocer a dos huéspedes: la más antigua, la señorita Daphne G., bailarina rusa exiliada, tiene cosa de setentaiséis años de edad, lo cual no le ha impedido alquilar una habitación extra para practicar *démi-pliés*. Es una mujer desenvuelta y coqueta –demasiado, quizás: apenas habíamos intercambiado los respectivos nombres y ya pretendía que le diera trocitos de *apfelstrudel* en la boca con mi propia cuchara. Tengo cuarenta años y la vida no me ha pasado en blanco, lo cual no me hace carecer, sin embargo, de cierto pudor. Le he dado mi postre completo para levantarme de la mesa, ruborizado. En el camino a mi cuarto, he conocido al doctor B., un investigador en la edad madura. Me ha mostrado el laboratorio que montó en su habitación, bastante interesante. Por qué ha venido a hacer experimentos con células de

conejo a una pensión, es algo que aún ignoro. La naturaleza de mi trabajo me impide seguir escribiendo por más de media hora diaria, por lo cual continuaré mañana mi descripción. Debo anotar, sin embargo, un curioso detalle: hoy, mientras abría los baúles 6 y 7, reparé en la presencia de un clavel rojo en mi shampoo. Debo comprar otro. Según el doctor B., el anticaspa se debilita al contacto con sustancias vegetales.

Sábado 17

La familia de hondureños que ocupa la alacena al fondo del pasillo, ha venido a hacerme una visita sorpresa. Me costó bastante trabajo esconder, mientras entraban con cantos y bailes autóctonos a mi habitación, el baúl número 8. Logré ponerlo en el baño, en lo que la familia entera –los padres, el abuelo y cinco hijos de mediana edad– se instalaba en mi cama, y me pedía algo de tomar. Venturosamente, mi samovar estaba ya instalado, y hemos pasado más de dos horas conversando. Es una de las familias más bonitas que he conocido. Tan unida, que cuando alguno de ellos se ve en la penosa necesidad de ir al baño o al cuarto contiguo, besa a todo el resto con auténtico dolor. Me ha conmovido su plática sencilla y agradable, así como sus buenas intenciones. Venían a trabar amistad conmigo y a prevenirme sobre la señorita Daphne. Mi conducta en la mesa la tiene en cama. ¿Será ella quien habrá puesto aquella flor en mi shampoo? Dios mío, cómo incomoda una historia así, a la mitad del trabajo. Debo concentrarme en el baúl 9, aunque no puedo negar que el asunto del clavel y la señorita Daphne me preocupa.

Domingo 18

Domingo. La pensión entera ha ido a la iglesia. Guiado por la mera curiosidad, he visitado todos los cuartos, incluyendo la alacena. Únicamente he encontrado al doctor, que llenaba de palabras cariñosas a sus células. "Así crecen mejor", me ha dicho, sonriente y orgulloso. ¡Ah, el amor a la ciencia! Al retornar a mi cuarto, algo me ha sorprendido, sin embargo: mi cepillo de dientes ha sido robado. Juro haberlo visto en el lavabo esta misma mañana. Ni hablar, compraré otro. Aun así, no creo que haya sido la señorita Daphne, pues ella ya estaba orando en la iglesia cuando yo me lavaba los dientes. Aunque me queda una pequeña duda. De ser la señorita Daphne, el asunto ha ido demasiado lejos. Ayer apareció a la hora de la cena, pálida y demacrada, e intentó bailar para mí la muerte del cisne, pero la tos se lo impidió. Hubo que llevarla a su habitación y darle oxígeno. ¡Quién lo diría! El amor floreciendo a su edad, de esa manera...

Aprovechando el domingo, iré al cine.

Lunes 19

Ayer, turbado por el asunto del cepillo de dientes, no di importancia a algo en lo que apenas había reparado durante mi visita a la pensión desierta, y que sin embargo ha estado presente en mis sueños durante toda la noche: la pequeña habitación que se encuentra junto a la cocina. ¡Un verdadero primor! Una camita de madera rústica, un tocador de mujer coqueta y soñadora, cortinas de encaje y sobre todo, algo que está por volverme loco. Al visitar el cuartito no reconocí la fragancia que todos sus muebles despedían, y ahora, durante el sueño, la he identificado: "Fleur de Plume", ¡el perfume de mi madre! Hoy en la mañana estuve por preguntarle a Madame de Dalle quién es la mujer apasionante que ocupa aquella habitación, pero cierto miedo a que me confundiera con un perverso me lo impidió. En cambio, quise cerciorarme de que no fuera ella misma la persona deseada, por lo que me incliné discretamente a olerla. No, no es ella. Madame de Dalle huele a magnesio. Para colmo, cuando me sintió cerca, ha cerrado los ojos y entreabierto los labios de una manera casi obscena. ¿Es que no le da vergüenza? Entre ella y la señorita Daphne van a lograr que pierda el respeto hacia cualquier mujer mayor de sesenta años. Hablando de la señorita Daphne, ayer envió al turista japonés que habita el cuarto contiguo al mío a rogarme que la visite. Mientras me repetía el mensaje, ha fotografiado mis baúles. Me he visto en la penosa necesidad de arrancarle la Nikon y quemar el rollo ipso facto. Mi trabajo se comienza a dificultar. Quizás lo más sensato sería trasladarme al Hilton.

Martes 20

He intentado partir. No puedo. Debo desentrañar quién es la misteriosa dama del cuartito encantador, o soñaré con su perfume el resto de mis días...

Mi cepillo de dientes ha regresado a su sitio. Tiene grabado en letras de oro "siempre tuya, B.", y al llevármelo a la boca me ha invadido, gozosamente, la juguetona fragancia del "Fleur de Plume". ¡Dios mío! Ella me ama. ¡Estoy tan nervioso! Me he saltado al baúl 10 sin darme cuenta, poseído por una excitación frenética. ¿Brigitte? ¿Brunilda? ¿Bárbara? ¡B! ¡B! ¡Qué letra encantadora!... Si en la agencia M & Jeff supieran del estado en que me encuentro, me despedirían sin dudar un segundo.

Miércoles 21

Estoy paralizado. Hoy, cuando me dirigía a comprar el periódico, la señorita Daphne me ha sorprendido en la esquina vestida con tutú y se ha puesto a recitarme las partes más líricas de Dostoievsky. Tuve que llevarla a su habitación y aplicarle benzocaína. Me duele verme obligado a rechazar el amor de una mujer por lo demás admirable, pero no es sólo su dentadura postiza lo que me detiene: mi misteriosa amada me ha dejado bajo las sábanas una preciosa pijama de pluma de pato, a la que he abrazado amorosamente durante toda la noche. Debo demostrarle que su pasión es absolutamente correspondida. He numerado mal el baúl 14, ¡estoy enamorado!

Jueves 22

He salido a desayunar con la pijama de pato. Quienquiera que sea, notará cuánto aprecio su regalo. No parece ser ninguno de los huéspedes que conozco. El japonés me ha fotografiado de nuevo y la hija de los hondureños –una preciosa quinceañera de quien sospechaba– me ha insultado con franca repugnancia. Estoy distraído, no puedo trabajar. Hoy salté entre los baúles como un simio de catorce años. ¡La amo desesperadamente!

Viernes 23

Hoy he cometido una locura. Fingiéndome cafeinómano, he ingerido catorce tazas de la enervante pócima a la espera de que todo el mundo se marchara al concluir el desayuno. Entonces he intentado escabullirme hacia el cuartito que habita mi amor. Por desgracia, cuando estaba ya a unos pasos de la primorosa puerta de madera con un corazón tallado a la manera suiza, mi nerviosismo hizo que tropezara con el gato de la casa y la señorita Daphne, al escuchar el ruido, ha sufrido un colapso nervioso. El doctor interrumpió sus estudios para atenderla y dice que está grave. Me siento el más miserable de los hombres. Para colmo, comienzo a odiar mi trabajo. Abrir los baúles 16 y 17 me pareció un acto deleznable y mercenario.

Martes 27

Nada, absolutamente nada. Llevo tres días en cama, abrazado a mi querido pijama y leyendo a Balzac sin saber qué hacer. Debo levantarme, aunque sea para comprar el periódico. Hay que animarse. Decía mi padre que el amor termina pronto, y ahora que recuerdo mi matrimonio de cinco meses con Z., le empiezo a dar la razón. Trabajaré en el baúl 18, sólo para olvidar.

Jueves 29

La desgracia invade mi vida. La señorita Daphne ha fallecido, mientras intentaba bailar las dos partes del *pas de deux* de *Romeo y Julieta* (la parte de Romeo y la parte de Julieta) al mismo tiempo. Madame de Dalle ha subido bañada en lágrimas a pedirme que me encargue de la señorita Daphne pues, aunque subjetivamente, soy el ser más cercano a la fallecida rusa. ¡Dios mío! El doctor ha tomado el cadáver prestado por un par de horas, pues –me explicó– necesitaba justamente un cadáver para su siguiente experimento y los de la morgue los rentan carísimos. Jamás en toda mi vida me negaré a hacer alguna aportación a la ciencia por más pequeña que sea, pero espero que me devuelva a la señorita Daphne en buen estado. Además, eso me permite escribir durante un rato, antes de llamar a la funeraria. Mi corazón se aleja, con esta tragedia, de la misteriosa B., y el amor parece estar saliendo de mi vida furtivamente.

Viernes 30
Ayer enterramos a la señorita Daphne. La familia de hondureños, Madame de Dalle y yo hemos sido los últimos testigos de su presencia en este mundo. *Requiescat in pace,* Daphne Strogonovskaya Romanovna Gutiérrez. Hemos pasado la tarde rememorándola arracimados en el sofá de Madame de Dalle. Únicamente el doctor B. y el japonés se mantienen ajenos a la tragedia. Por cierto, el doctor se ha quedado con un ojo de la señorita Daphne para un interesante experimento. Me lo ha querido pagar, pero me he negado, convencido de su honestidad de hombre de ciencia. Encuentro el baúl 21 apasionante, pero no cabe ya en el baño. Quizás tenga que alquilar el salón de baile de la señorita Daphne.

Sábado 1
El japonés está deprimido por el deceso de la bailarina. ¡Y yo pensando que este oriental no tenía corazón! Apenas ha fotografiado su desayuno para levantarse bañado en lágrimas y huir hacia su cuarto como una quinceañera.

Comienzo a sentir un gran apego a la pensión de Madame de Dalle. Somos una pequeña familia, muy unida. Los hondureños, incluso, tienen la intención de comprar un arbolito de Navidad pues –dicen– a la pensión le falta calor de hogar. No les hemos dicho que estamos en abril para no herir susceptibilidades, ¡la intención es tan buena!, ¿a qué estropearla con el deleznable y banal sentido común? Mi samovar espera humeante su visita.

El baúl 22 difiere notablemente del 23. Algo de esto me habían mencionado en la agencia... el trabajo se dificulta, como siempre. Ya alquilé la otra habitación. Hay más espacio, aunque a veces, por equivocación, trabajo sin darme cuenta en el espejo durante horas. Lo tengo que cubrir con una franela para no volver a perder el tiempo. No debí alquilar el salón de baile.

Martes 4

¿Por qué? ¿Por qué ahora que me había curado de tanto amor aparece así? No puedo dormir, no he comido nada en dos días y les he gritado a los hondureños. Me voy a volver loco. Y es que la vi. Hace un par de días fui a buscar el periódico y de regreso ¡ahí estaba! Tallaba su nombre en mi rasuradora electrónica, transida, y al verme entrar a la habitación intempestivamente se puso pálida como una acacia. Apenas pude ver su silueta y el primoroso mandil blanco que llevaba, pues salió como una ráfaga dejando tras de sí la fragancia del "Fleur de Plume" en mi marchito corazón y su mágico nombre esculpido en letras romanas sobre el plástico rojo de mi rasuradora: ¡Bunsen! ¡Bunsen!, repito tu nombre como el del mismo Dios. ¿Por qué te ocultas así? ¿Por qué no me dejas verte? Entonces era ella la que doblaba mis camisas y las encuadernaba con tanto primor, la que ha hecho mi cama de manera tan perfecta que sólo puedo entrar por un lado (pues el resto está firmemente cosido con punto de cruz), la que ordena mis objetos personales en forma tan artística. No me queda más que esperar. Debo levantarme y pedir disculpas a los hondureños. He sido un loco.

Miércoles 5

Mi desodorante tiene una guirnalda. La he visto extasiado durante toda la mañana. Después, he dispuesto mis píldoras para dormir de manera que se lee "Bunsen, te amo", sobre mi mesilla de noche. Quisiera saber qué color le gusta y sorprenderla con un regalo. La verdad, no sé qué me detiene cuando intento hablarle a Madame de Dalle de todo esto. ¿Será esa manera de inclinarse hacia atrás y abrir la boca? Supongo que sí.

Jueves 7

El doctor B. me llamó anoche a su habitación: quería mostrarme el conejo que ha producido con el ojo de la señorita Daphne, pero cierto respeto a la memoria de la rusa apasionada me impidió apreciar lo que, según el doctor, es un verdadero portento. Bunsen ha respondido a mi mensaje. Con mi rasuradora, ha escrito "yo también" en la piel de oso que siempre pongo al pie de mi cama. Soy el hombre más feliz del mundo. Ahora sé con certeza que ella me ama.

Sábado 8

No logro recordar en qué baúl estaba. ¡Ah, el amor!

Lunes 10

Hoy ha llegado un nuevo huésped. Es un suizo que ocupará la habitación de la señorita Daphne. Hemos pasado toda la comida intentando pronunciar su nombre. Únicamente el japonés lo ha logrado, después de fotografiarlo repetidas veces articulando cada letra. Me pregunto a qué grado llegará la disciplina escolar en aquella isla oriental. En todo caso, ha sido un golpe de suerte, pues he logrado preguntar a Madame de Dalle quién es Bunsen. Como estaba ocupada en articular el sonido "tgz", no le fue posible hacerme la jugarreta de siempre, pero ha quedado muda. Lleva exactamente cinco horas sin hablar, y el doctor B. está muy ocupado con una peritonitis que vino a visitarlo. Dice que la atenderá mañana.

Mi adorada Bunsen ha puesto mis pantalones cuidadosamente doblados en la bañera. ¡Querida mía! El amor nos afecta a ambos por igual. Yo, por mi parte, me he vuelto a equivocar de baúl.

Martes 11

Ahora veo que hay un misterio en todo esto. Madame de Dalle rehuye mi presencia. Por otro lado, la sorprendí hoy revisando mi habitación. Al ser descubierta, ha salido corriendo con mi toalla azul en la cabeza, pretendiendo esconderse. ¿Qué buscaría? Seguramente algo relacionado con mi adorada Bunsen. ¡Si sólo pudiera verla, hablar con ella...! Intentando distraerme de todo el asunto, he trabajado en mis baúles como un loco, sin método ya. M & Jeff podrán, temo, prescindir de mis servicios más pronto de lo que creen. Ya no soy útil. He ido a contar el problema a los hondureños, desesperado, pero siguen ocupados con la pronunciación del suizo. La gente a veces es egoísta...

Viernes 14

Silencio y desolación. Ni una señal de Bunsen. Madame de Dalle sigue jugando a las escondidas. Yo, por mi parte, trabajo en el baúl 55, elegido al azar. La vida es un desierto.

Domingo 16

Una esperanza. Un ligero sabor a "Fleur de Plume" en mi pasta dental. ¿Sabrá ella que con eso no hace más que aumentar mi dolor? Llevo cuatro horas aullando, de tal manera que el suizo ha irrumpido en mi cuarto con su equipo de primeros auxilios. Tuve que fingir que nada me ocurría, por el temor de tener que llamarlo por su nombre y cometer alguna equivocación imperdonable. De no ser así, hubiera llorado en sus brazos. ¿Cómo puedo amar con tanta intensidad a una sombra con mandil blanco, a una figura que sólo he visto por un segundo? Aun así, no dejo de notar su presencia en las cosas más imperceptibles. Además del perfume en la pasta dental, ha puesto el spray para el aliento en mis mocasines. ¿Distracciones? ¿Mensajes en clave? Estoy a un paso de volverme católico...

Viernes 21
Silencio total durante la semana. Al cabo de cinco noches de insomnio en mi pijama de pato, he decidido encerrarme en el baúl 57 hasta que aparezca.

Martes 25
Llevo tres días de encierro en el baúl. Huele un poco mal. Mi mente da vueltas mientras escucho al japonés fotografiarme y a la familia de hondureños que ahora juegan a la matatena encima de mi nuevo hábitat. No me importa. En todo caso, he pensado en instalar un teléfono por si llamaran de M & Jeff para algo importante. En todo caso, mi despido sería lo más lógico. Mi vida es una catástrofe. Si fuera un hombre más razonable, me iría al Hilton e intentaría olvidar a Bunsen.

Miércoles 26
Algo en lo que no habría reparado: alguien abre mi baúl mientras duermo. De no ser así, no encontraría un huevo frito cada mañana frente a mí. Quisiera que también se llevaran los platos, pues comienzo a no caber en el baúl. Ahora mismo, un vaso de jugo de naranja está a punto de desnucarme si me muevo un centímetro.

Martes 1
Me encuentro en la habitación 304 del hotel Hilton. Los terribles sucesos ocurridos los días 27 y 28 me han obligado a abandonar para siempre aquella pensión. La historia es la siguiente:

La madrugada del jueves 27, preso de un ataque de tos producido por las plumas de mi pijama, me vi obligado a salir por un momento del baúl 57, en la necesidad absoluta de buscar un vaso de agua. Grande fue mi sorpresa al descubrir que me hallaba, ni más ni menos, en la habitación de mi adorada Bunsen. ¿Me habría llevado hasta ahí ella misma en sus dulces brazos? De ser así, ¿cómo fue que no resentí los tumbos de cuatro tramos de escaleras? Mientras me hacía estas preguntas, inhalaba extasiado la fragancia del "Fleur de Plume" que calmaba mi tos y enloquecía mis sentidos. "Bunsen", murmuré, llamando a mi amada, "Bunsen, si no dejas de esconderte me mataré", y llevado por la desesperación pensé en intentar sacarme los ojos con la cerradura de mi baúl, antes que seguir siendo torturado así. Entonces mi amada apareció a la mitad de la habitación, bañada en lágrimas.

Sí, mi amada Bunsen era un espectro. Un espectro al que, según me contó entre sollozos, Madame de Dalle tenía trabajando en su casa de manera despiadada, bajo amenazas graves. Era el espectro más bonito que he visto, con un lunar debajo del ojo izquierdo. Caí postrado a sus pies, rindiéndole mi admiración y ofrendándole mis lágrimas. Después pude decirle todas las palabras de amor que se me vinieron a la cabeza, mientras ella reía coquetamente y, como es lógico en el amor, quise abrazarla, pero hacer esto con un espectro es imposible, así como quitarle la ropa. Bunsen había muerto de un soponcio con el uniforme puesto, y aquella era su única, su eterna imagen. Pero no me importó. Por fin estaba con ella, cantando alegremente y embriagándome con todo el "Fleur de Plume" del mundo, engolosinado, prometiéndole un futuro sin tareas domésticas en la lejana isla de K., donde viven algunos parientes míos que seguramente la adorarían. Planeamos cuidadosamente nuestra escapatoria, y mientras ella desplumaba mi pijama llevada por la pasión, dejó salir un pequeño chillido emocionado. Un chillido gracioso, romántico, de perico australiano, y que sin embargo desató la catástrofe sobre nuestras vidas.

Antes de que pensáramos en levantarnos para partir, Madame de Dalle estaba ya en la puerta, armada de varios globos de oxígeno combustible.

—¿Acaso no está satisfecho con los servicios que ofrece la pensión, señor Q.W.? —me dijo, de una manera vulgar e insultante.

Jamás hubiera pensado que detrás de aquella viejecita lasciva y con calcetines habitara la auténtica maldad. Pero Bunsen la encaró valientemente:

–Con tal de no pagarme prestaciones, fuiste capaz de matarme, tía Antoinette. Ahora el mundo entero lo sabrá.

¡Su propia tía! Dios mío, qué historia se develaba ante mis ojos. La miseria humana no tiene límites. La conciencia política de mi amada no sólo la hacía verse hermosa, sino admirable. La besé apasionadamente, tratando de olvidar el sabor a aire, y ambos dimos un paso al frente, decididos a pasar sobre el cadáver de Madame de Dalle.

Pero la terrible tía liberó el oxígeno de sus globos, y mi amada Bunsen desapareció para siempre. La vi desvanecerse entre lágrimas, mientras apretaba los dedos en el cuello de Madame de Dalle, la mujer que había asesinado a su sobrina para que su fantasma tendiera las camas y arreglara los cuartos sin cobrar sueldo ni alimentación. La vieja gritaba como una loca mientras yo la ahorcaba. La pensión entera bajó a escuchar el ruido, y con grandes trabajos me convencieron de que no cometiera un justo crimen. Aun así, oyeron aterrados y estupefactos las acusaciones terribles que hice a aquel engendro.

Ellos también se han cambiado al Hilton. El castigo de Madame de Dalle será la pobreza, la humillación, la vergüenza, la soledad, el infortunio y la culpa por el resto de sus días. El mío será rememorar para siempre a mi amada cenicienta espectral, mientras la familia de hondureños me ayuda con el baúl 64 cuyo contenido, después de esta historia, apenas me resulta interesante.

La señorita

*

Vamos a ver: estábamos Campuzano, el tartamudo Mijares y yo en el restorán viendo el futbol. Era domingo en la tarde. El tartamudo Mijares decía algo sobre el Atlante, pero la verdad no recuerdo muy bien de qué hablaba exactamente –en realidad cansa mucho oír a un tartamudo explicarse, pero tampoco va uno a ser descortés. El caso es que a la mitad del futbol aparecieron. Él era un tipo como de treinta y tantos y venía con la señorita. Pidieron permiso de usar los baños, les dije que sí. Luego salieron y fue la señorita que le dijo al amigo, novio, marido o lo que fuera que si se tomaban un café. Entonces me llamaron y pidieron dos cafés. Les dije que sólo había agua para Nescafé, dijeron que sí.

Hasta ahí me acuerdo de cada detalle, pero ahora tengo que dar una explicación: mi esposa y yo compramos el restorán en el año sesentaicuatro. El mismo año mi esposa se murió. Desde entonces no he cambiado nada en el restorán. Hasta he dejado la lista de precios del sesentaicuatro para que la gente se ría, y sí, les hace gracia. También todo el restorán parece estar en ese año, porque he tenido la suerte de encontrar siempre las mismas sillas cuando ha habido que cambiarlas –no vaya a pensar que el restorán está mugriento, no, yo renuevo las cosas pero iguales y así todo parece no haber cambiado desde que mi Magda se murió, y a veces he tenido la ilusión de que va a llegar en cualquier momento, como hace veinte años.

Mi esposa se llamaba Magda.

Pero a lo que yo iba con esta explicación era a que la señorita, justamente, se fijó en la lista de precios del sesentaicuatro y se lo comentó al esposo o lo que fuera.

Ahí Campuzano y Mijares, que nada más habían estado viendo el futbol, se fijaron en la señorita igual que yo, y creo que los tres pensamos lo mismo y por eso justo Mijares se calló lo que le faltara por decir del Atlante. Yo serví el agua, la puse con el Nescafé y las tazas en una charola, y se la llevé a la señorita pensando en si les hacía la broma que le hago a los pocos incautos que pisan el restorán y el pueblo, y es decirles "son tres pesos, señor", para que por un momento duden de si están ahora o en el sesentaicuatro, y se asusten, porque en realidad todo esto sólo me acuerda de Magda y quisiera tirarles el agua hirviendo encima y gritarles que se larguen y me dejen tranquilo oyendo a Mijares o mirando a Campuzano, porque yo no tengo el restorán para vivir de él, no.

Pero esta vez no se por qué ni hice el chiste, ni pensé en que se largaran, sino que aproveché para mirar bien a la señorita, porque ya se imaginará que era igual a Magda.

No dije parecida sino igual, porque era mi esposa, en persona, como si no hubiera muerto. Y creo que Mijares y Campuzano también estaban convencidos de que sí, de que era igual. Pero no podía ser ella, pensabamos también, porque Magda murió hace veinte años y nosotros mismos la enterramos.

Luego de que el marido o su acompañante, no sabía qué eran, me vio un poco feo por quedarme parado frente a la señorita mirándola como un encantado, me retiré al futbol con Mijares y Campuzano, pero el partido ya había acabado. Gracias a Dios Mijares se puso con sus tartamudeos, y así me distraje un poco de la señorita. Y digo poco porque Campuzano la volteaba a ver de tanto en tanto y lo peor era que se nos ocurrían las mismas cosas. A Mijares también, que hablaba del Atlante un poco para disimular, creo yo, porque los tres estábamos como en nuestra mesa, pero muy pendientes. Y era de mirarse porque los dos se tomaban su café muy calladitos y no decían nada, como si estuvieran enfadados o cansados. De repente vi que ella le agarraba la mano y entonces me hice a la idea de que sí debía ser su marido, porque el cariño que se tenían era ya discreto.

Magda hubiera tenido como cuarenta y tantos, de haber seguido entre nosotros. Por más que se pareciera, no podía ser. Pero era igual.

Como a la hora me llamaron y yo pensé que querían la cuenta, pero no. Me pidió él más agua para Nescafé, y así yo me animé a preguntarles si venían de turistas, y sentí cómo Campuzano se sonreía porque a este pueblo sólo llega la gente por equivocación.

Me dijo la señorita que se les había descompuesto el coche y se lo estaban arreglando ahí a dos cuadras unos mecánicos, y vi cómo el marido le dio un codazo. Yo creo que se molestó de que ella le anduviera contando sus desgracias a cualquiera. Mejor me regresé con Mijares y Campuzano pensando que hablaba igual que Magda y que traía un vestido que me recordó al azul de Magda, pero el de la señorita era verde, eso sí lo pude diferenciar.

La verdad es que ya me estaba acongojando mucho y pensaba en que ya se fueran por favor, y en esas llegó el mecánico de a dos cuadras y llamó al marido y entonces la señorita se quedó sola. Me dio mucho miedo la oportunidad, pero para qué desperdiciarla, y entonces disimulé como que iba a pasarle un trapo al mostrador de las papas fritas y así en lo que iba me puse a hablarle a la señorita de lo que se me iba ocurriendo, de que si el pueblo o el coche, la verdad no me acuerdo, y sentí cómo Mijares y Campuzano me miraban y pensaban "igual que antes con Magda", o algo así, y la señorita me preguntaba de todo, igual de curiosa era, como Magda, y en un momento casi le digo Magda, pero no sé. Algo me dio de que todo era mentira y entonces me regresé con Mijares y Campuzano. Sacamos el dominó y jugamos una partida entera, pero fue difícil porque la señorita seguía ahí, sola, y nosotros ya muy nerviosos y sin poder decir nada de lo que se nos pasara por la cabeza, ni siquiera Mijares, y parecía que hablábamos con los ojos y que no teníamos lengua.

El marido de la señorita no llegaba y yo ya ni la podía voltear a ver porque era mucha la ilusión de su parecido con Magda, pero lo más difícil fue cuando sentí que se acercaba y la escuché decir con el mismo tono que usaba Magda cuando se aburría que si la invitábamos a jugar una partida. Entonces Mijares le tartamudeó que cómo no y jugamos en equipo la señorita y yo. La verdad es que ya se me partía el alma y casi lloraba yo de pensar "¿y si cierro la puerta y le digo quédate Magda, por favor quédate y ya no te mueras?" Y sentía a Mijares y Campuzano que sólo la miraban como impresionados, y fue porque levantaron sus ojos que me imaginé que ya llegaba el marido y pensé que le iría a pegar o más bien lo supe, porque me di cuenta de que Mijares y Campuzano habían estado pensando en algo diferente que yo todo el tiempo, y era en que el tipo tenía la misma cara que yo hacía veinte años o más, y la miraba igual de feo que yo cuando me la encontré jugando dominó en un pueblucho con Mijares, Campuzano y el tipo ése al que maté y por eso Magda me dijo que ahí nos quedábamos y que seguía yo la vida del tipo, y pensé que, como al tipo, ya me iban a matar y todo en mi vida quedaba pagado, pero no.

El tipo ése, su marido, con mi misma cara y el mismo traje de la ciudad de cuadritos que yo usaba, le dijo "vámonos Magda" y ella me sonrió dejándome con la duda y sin saber si así era peor que matarme.

Ya ni les cobré los tres pesos y mejor los vimos irse. A Mijares del susto se le quitó lo tartamudo.

Hasta nuevo aviso

*

El domingo comenzó soleado. No prometía gran cosa —los domingos nunca prometen nada. Y recuerdo que fui a comprar los periódicos pensando que el domingo terminaría de igual manera en que amaneció, sumido en aquel sol blancuzco y gris. Preparé el desayuno totalmente resignada a ver el mismo rostro de entresueño en cada miembro de la familia, durante todo el día. El mismo sol, la misma sensación de que no despertaríamos hasta el lunes. Cabellos en desorden leyendo las caricaturas o delimitando con la cuchara la llana geofrafía del desayuno. Después fuimos a dar un paseo de zombies entre la multitud. Sentíamos pesadez en las piernas. Los niños no. Ellos correteaban por el parque, obligados por el domingo a perseguirse, a exigir helados, a pelear entre sí. Correr y pelearse, eso hacen los niños los domingos, y nunca he visto que inventen otra cosa, parece no importarles.

En el restaurante, Roberto y yo bromeábamos acerca del domingo, que si es una tortura sutil, que si el tiempo se detiene, estadísticas acerca de qué porcentaje de la población no quiere que llegue el lunes, qué porcentaje preferiría dos sábados. El restaurante estaba lleno de familias, todas estancadas en el fastidio más profundo. Todos los niños de todas las familias correteaban entre las mesas y peleaban entre sí.

Luego llevamos a los niños a ver *Blancanieves*. No nos apasionamos por lo que ocurría en la pantalla, mecidos por una abulia incómoda. Los niños discutían sobre cuál de los siete era el enano más simpático. Los niños pelearon en el coche durante todo el regreso.

Anocheció. Entrevimos el fin del domingo y suspiramos. Las conchas estaban duras, pero el café con leche nos cayó bien.

Mandamos a los niños a la cama para poner fin al domingo. Por fin recordé, surgieron de golpe las obligaciones de la semana en mi memoria. Uno de los niños temió que la maestra lo visitara en sueños porque había olvidado hacer la tarea. Le prometí ayudarlo el lunes a las cinco de la mañana, una vez concluido el domingo. Dormir resultó ser un gran alivio.

Nos despertó el mismo sol blancuzco. La calma de la calle incitaba a la sospecha. Los niños no se querían quitar el pijama. Roberto encendió la televisión y vio las caricaturas. Hice la tarea, las mochilas, el lunch, apresuradamente. Vestí a los niños a la fuerza. Le grité a Roberto que se bañara.

Subimos al coche con los niños. No había tráfico. Enfilamos hacia la escuela y vimos con desconcierto el portón cerrado. En la oficina de Roberto no había nadie. Compramos el periódico y decía domingo. Regresamos a la casa. Leímos los monitos, fuimos de paseo, comimos en un restaurante, vimos *Caperucita Roja*. Los niños pelearon durante todo el día.

No sé cuántos domingos han pasado ya. Apenas puedo abrir los ojos en las mañanas. Roberto ya es parte del televisor y los niños están llenos de golpes y rasguños. En el noticiero dicen que Dios está descansando y que lo mejor es no molestarlo, hasta nuevo aviso.

Los últimos días de Pompeya

*

Estaba tan segura de que el infarto de Andrés lo había causado
la indiferencia, que no pensó siquiera en ir al hospital. Odiaba la idea de tener que decirle que debía cuidarse más, que se
había excedido, que ella ya se lo había augurado, todas esas
cosas cuya consecuencia lógica era un infarto. Pero era su
esposa –eso parecía– y una esposa tiene que estar junto a la
almohada del marido aunque el único culpable de su pos-
tración sea él. Y odiaba más aún a Andrés conforme seguía reci-
biendo llamadas de los amigos preguntando por él, cuando
ellos también sabían que todo esto era su culpa. Si Andrés
quería seguir suicidándose era su problema, y ella no estaba
para impedirlo, ni para que le dieran condolencias. Además,
no tenía la menor intención de retorcerse las manos como en
las telenovelas, ni de llorar o recibir visitas. Ella quería leer. Era
su plan para esa tarde, y no se lo sabotearían con llamadas
desde el hospital avisando que el infarto ya le había llegado a
Andrés. Lo que le extrañaba era que hubiera tardado tanto.
Descolgó el teléfono y, cuando sonó el timbre, no fue a abrir la
puerta. No estaba. No estaba para nadie. Ella quería leer y
prepararse un café. Mientras hervía el agua, se miró en el espejo del baño. Treinta y cuatro años, no estaba mal. Era joven, se
conservaba muy bien, no había tenido hijos –menos mal, con
el infarto de Andrés–, y seguramente había un hombre sano en
la tierra que la quisiera y no se provocara infartos. Se preparó
el café a su gusto (no tan cargado como Andrés, ese sí que ace-
leraba los latidos del corazón), y se fue al sillón de la sala. Muy
bien. Tranquila, sola en la casa, dispuesta a leer *Los últimos días
de Pompeya* –moría de ganas de comenzarlo– y Andrés que se las
arreglara con el infarto. Un claxon se había quedado atorado

en la calle, justo enfrente de su edificio. Mala suerte. Pero el sonido cesó poco después. Anochecía ya. No quiso encender la luz, pues le encantaba sentir la caída del sol en la sala. Era muy hermoso y simple. Andrés, con sus borracheras, nunca reparaba en esos detalles. A lo sumo percibía los cambios de color que producía la luz en su cuba libre, o en el humo de los cuarenta cigarros que se fumaba a diario. Así, a quién no le da un infarto.

Oscureció y tuvo que levantarse a encender la lámpara de la esquina opuesta al sillón. Decidió poner la lámpara al lado de éste, de una vez. Así se podía leer mucho mejor. Pero Andrés leía en la cama, y la idea de poner la lámpara en ese rincón había sido de él. Decía que daba una luz baja, muy agradable para las reuniones. Como si en este mundo sólo hubiera reuniones. La semana pasada habían sido cuatro, y en todas los amigos habían bebido como cosacos, agasajados por Andrés. Claro, Andrés ofrecía tragos y los amigos venían cada que podían. Ya ni le preguntaban a ella si quería recibir gente en la casa; Andrés recibía a quien llegara y le daba su cuba libre. Cuando la gente se iba de la casa, se quedaba en el sillón mirando su vaso y hablando solo, sin dormir. Beber y no dormir. Era más lógico que el dos más dos: un infarto. Ahora no más amigos, no más cubas libres que servir, ni charla interminable que le quitara el sueño. Podía leer *Los últimos días de Pompeya* sola en su casa y contentísima. Un sorbo al café, y abrió las pastas con diseño modernista. Una edición buenísima, una joya de 1946, impresa en Buenos Aires. Buena traducción, le había dicho Elisa al regalárselo. Elisa venía a la casa cada que podía, y cómo la miraba Andrés. A la menor provocación se iban juntos en el coche de Elisa a comprar las coca-colas y solían tardar horas. Seguramente hacían el amor por ahí. No le molestaba, la verdad. Hacía mucho que ella no quería hacer el amor con Andrés. Su mirada vidriosa y esa manera de fornicar como toro salvaje no hacían más que exasperarla. Si con todo lo que fumaba quería hacer el amor todas las noches como quien hacía lagartijas, lo raro sería que no le diera el infarto. Pero ésta era su tarde, y no quería seguir pensando en Andrés. Página uno. La introducción la leería al final. La verdad era que Andrés ya casi no leía; no terminaba de entender a santo de qué lo llamarían el mejor poeta de su generación. Pero había que olvidar a Andrés y su infarto. A ver, un esfuerzo, un poco de concentración. ¿Por qué no ser egoísta si finalmente lo de Andrés era culpa de Andrés? Sólo faltaba que también tuviera que pasar lo del infarto. No, era demasiado. ¿Dónde habían quedado los cigarros? Fue a buscar uno al escritorio de Andrés. Papeles en desorden, manchas de vasos dejados al azar apestosas a cuba libre: aquello parecía un burdel, no un escritorio de poeta. Encontró los cigarros en el cajón. De los fuertes, qué horror. Como para que te dé un infarto. Y el cenicero lleno de colillas. Ella jamás le limpiaría un cenicero, ni dejaría que la criada lo hiciera. Hubiera sido demasiado. Pero él tampoco los limpiaba. Tiró las colillas al basurero de Andrés. Qué pocilga. Fue a su *secrétaire*, que estaba en la habitación. Al abrirlo encontró sus cuadernos en orden, sus libros de psicología, un ramo de flores, y sus cigarros de lechuga. Hay que saber cuidarse. Y la foto de Andrés. Qué guapo era hacía diez años. La verdad es que empezaron la relación poniéndose una papalina juntos, pero fue distinto. Andrés la conquistó, se preocupó por gustarle en ese momento. Hacía yoga. No hubiera permitido que le saliera ese vientre decadente, como ahora que comía cualquier cosa. Ahora comía grasas a morir: otra cosa más para que le diera un infarto. No, si el infarto de Andrés parecía planeado paso por paso. ¿Qué más faltaba? Las depresiones. Dormía durante días enteros y sólo despertaba para garabatear en sus hojas y beber más cubas libres. Para la depresión, nada mejor que el ejercicio, ella lo sabía bien. Pero de nada hubiera servido decírselo. Le hubiera respondido "ven, te invito a hacer lagartijas" y se le hubiera echado encima como un animal enjaulado. No, además nunca pensó en darle un orgasmo clitoridal. Esos se los había regalado ella cada vez que no estaba Andrés, tranquila y en su cama. Ni hablar. Encontró su encendedor de plata sobre el buró. Era de un diseño delicadísimo, como ella. Se preguntaba cómo había podido estar tan loca de quedarse con Andrés durante diez años. Encendió un cigarro de lechuga y regresó a *Los últimos días de Pompeya*. Un sorbo más de café. Qué tranquilidad. Página uno. La cerradura de la puerta se abrió. No podía ser. Quizás todo fue una broma. Un infartado no puede regresar a casa el mismo día. Pero era Elisa. Traía la llave de Andrés y venía por algunas de sus cosas para llevárselas al hospital. Le dijo a Elisa dónde guardaba Andrés su ropa interior y sus camisas. También le dio el último libro que estaba escribiendo y la máquina de escribir portátil. Ah, y la rasuradora. Pobre Elisa: ahora le tocaba a ella cargar con la vida de Andrés. Que le fuera bien; no le guardaba rencor. De alguna manera la entendía; siempre estaba soltera porque sus relaciones no duraban más de un par de meses. Ahora tenía un hombre a su lado. No el ideal, por cierto, pero bueno. Andrés para Elisa estaba bien. La despidió sin preguntar siquiera cómo estaba Andrés. Seguramente mejoraría después del susto. Bebería menos, le prohibirían fumar y lo pondrían a dieta. Si Elisa lo cuidaba, quizás hasta acabaría el libro y recobraría la cordura, inclusive podría volverse a poner guapo, como hacía diez años. Trabajaría y ganaría bien. Cuando estaba sano, era un hombre muy capaz, muy inteligente. El infarto lo haría recapacitar, pensar quizás en tener hijos. Y Elisa lo ayudaría a salir adelante. Ella, esa tarde, había decidido leer *Los últimos días de Pompeya*. Página uno.

Andrés

*

Sé que estuvo mal pensarlo, pero el acto de caer muerto a media reunión me pareció, por parte de Andrés, de mal gusto. Y no es que quiera perjudicar su memoria con esto, pero la verdad quién lo imaginaría, tan elegante, tan apuesto, incapaz de cometer cualquier descortesía aun en la parranda más desenfrenada. Debo añadir que no fui la única: pude advertir algo semejante en los gestos, las miradas, los carraspeos de Belinda, Antonio y Lulú.

Cuando se desplomó, sin ningún aspaviento ni estertor —lo que por otro lado fue de agradecerle— transcurrió un instante, un instante corto, cortísimo, en el que pude notar cómo Belinda, embelesada con los camarones al ajillo, dudó en soltar el tenedor y luchó por contenerse de dar el siguiente bocado; Antonio aspiró, degustó el humo del tabaco tan agradable después de una buena cena, y Lulú atisbó todavía con ilusión la portada del disco que estaba a punto de poner, adelantando el gozo de escuchar de nuevo una canción que inundaba su vida en estos días últimos y le decía tanto. Y he de admitir que yo evoqué las *crèpes suzette* con amargura, contrariada porque todo el pesado trámite de la cena para llegar al postre había sido en balde. Lo que transcurrió en aquel instante para mí duró un sinfín de horas, como si estos pequeños gestos y estas miradas sucedieran en cámara lenta, y en ese momento diminuto prolongáramos lo más posible el tiempo anterior a la desgracia.

Pero las reacciones se sucedieron: Belinda se inclinó sobre Andrés y lo zarandeó, preguntándole inútilmente "Andrés, Andrés, ¿qué te pasa?" Antonio dijo que no lo moviéramos y voló al teléfono a pedir una ambulancia. Lulú tuvo un ataque de histeria y yo la auxilié con un par de bofetones que sólo ayudaron a que se desmayara. Antonio regresó del teléfono para darle un poco de brandy a Andrés. Con la copa en la mano le escuchó el corazón y le tomó el pulso. Después le pidió a Belinda un espejito para ver si respiraba. Entonces se tomó él el brandy y las lágrimas empezaron a escurrirle, solas, sin llanto ni moqueo. Ya sabía que estaba muerto desde que fue a llamar a la ambulancia, y todo lo que hizo para confirmarlo fue mecánico, como si algo le hubiera dicho que tanta naturalidad para aceptar la muerte de un amigo no estaba bien. Vi a Lulú abrir un ojo desde su desmayo y volverlo a cerrar. Y Belinda, la amante viuda, dejó escapar un suspiro que sonaba más a "por fin" que a desdicha. Sé que todo esto, así, es demasiado crudo, y me da vergüenza confesar que mientras mis amigos se traicionaban a sí mismos yo no hacía otra cosa que observarlos, sin pensar en el pobre de Andrés que, a fin de cuentas, bien muerto estaba.

Lo cierto es que los cinco, esto incluye a Andrés, habíamos sido educados en el ateísmo más absoluto, de manera que Andrés, para nosotros, se había ido, su alma había desaparecido. Y si Andrés tenía algo era un alma de oro, un alma exquisita. De los cinco, era el único a quien el egoísmo no invadía jamás. Conocía a la perfección nuestros, gustos, nuestras virtudes, nuestras pequeñas debilidades, y sabía alimentarlas siendo amigo sincero y generoso. Jamás cayó en la trampa de los ataques de histeria de Lulú, precisamente porque la quería bien y procuraba ayudarla. Nunca permitió que Belinda se dejara vencer por aquellas depresiones que la llevaban a abandonarlo todo y a querer recomenzar su vida por completo cada dos años. Ni por asomo dejó que Antonio lo sedujera, atormentado éste por un deseo con el que ocultaba la imposibilidad de relacionarse con un hombre fuera de la cama. Y yo no conocí el día en que no me llamara, conminándome a salir de mi aislamiento y de mis libros para pertenecer a un mundo. Cualquiera que tenía una duda, un problema, consultaba a Andrés, y era un orgullo tener un amigo así de solícito y de franco, casi diáfano en su bondad, sensible e inteligente a morir.

De esto estuvimos hablando durante dos horas en que la ambulancia no llegó, ofrendando a Andrés nuestra amistad. La propia Lulú despertó de su desmayo y habló de nuestro amigo con un juicio que parecía serle inspirado por él mismo, a ella que era tan excéntrica en sus razonamientos. Y todos abrazamos a Belinda, por turnos, haciéndole ver la suerte que había tenido de amar y ser amada por un hombre tan de una pieza. Inclusive terminamos la cena, brindando hacia donde estaba Andrés –lo habíamos dejado ahí, caído junto a la silla que ocupara durante la cena–, como si su cadáver fuera una representación de él mismo, un retrato o una calaverita de día de muertos que portara su nombre. Borrachos, exaltados, pletóricos de amor los unos por los otros, estábamos histéricos, y no era de extrañarse, porque pasaba el tiempo y la ambulancia no llegaba por más que, con ansiedad cada vez mayor, Antonio llamara y volviera a llamar a la Cruz Roja.

Pero el cadáver comenzó a angustiarnos y decidimos llevarlo a la habitación, entre risas nerviosas. Era cierto que aquel cuerpo nos había estrechado la mano, que hacía un par de horas lo habíamos abrazado y contemplado con amor, con gusto y con embeleso; ahora era una cosa, una especie de muñeco que, además, amenazaba con descomponerse. Cuando lo cargamos acostado entre los cinco, no pude soportar este pensamiento y lo solté. Belinda me siguió, y Lulú también. Las tres pegamos un grito, grito de mujer cuando ve un ratón, grito de aprensión, de susto y de juego. Antonio se enfadó primero –porque pesaba mucho, porque dejábamos caer a nuestro amigo– y después se rio de nosotras. "Ya, no sean cobardes, si es Andrés." Lo volvimos a levantar y con dificultades lo pusimos en su cama. Salimos del cuarto con la sensación de los padres que por fin dejan durmiendo al niño y respiran aliviados de las fatigas del día, hablando en voz baja, no se vaya a despertar. Y así como Antonio, Lulú y yo sentíamos un deseo profundo de irnos a nuestras casas y dejar a Belinda con Andrés, Belinda parecía tener unas ganas enormes de partir con nosotros o de que nos lo lleváramos, como a quien le regalan una mascota que le inspira terror.

De vuelta en la sala, con el cadáver fuera de la vista, nos pusimos a pensar en qué podía haberle pasado a Andrés. Lulú mencionó los camarones. Por un momento temblamos, porque todos los habíamos comido, y yo maldije la amabilidad de tragarme toda una cena que no quería en aras del postre. Pero Antonio fue realista: nadie se moría de una intoxicación de camarones, sin pasar antes por unos sufrimientos espantosos. Y ya relajados, llamamos a la Cruz Verde y a todas las funerarias de la Sección Amarilla, esperando confiar el cadáver a quien viniera primero a buscarlo. Belinda hizo café, dormitamos y hubo ambiente de velorio. Cada tanto, alguien se aventuraba a la habitación y cuando salía lo mirábamos como si emergiera de un quirófano. Quien hubiera entrado, meneaba la cabeza tristemente: no se movía, bien muerto estaba.

Amaneció, y con la luz del día sonó el timbre: la señora de la limpieza. No la dejamos entrar. Con señas y codazos nos comunicamos la urgente necesidad de que la señora no se enterara de la presencia del cadáver en la casa. Fue una reacción absurda, y cuando la pensamos nos pusimos peor. Si declaraba que la habíamos corrido apresuradamente, sospecharían de nosotros. Pero, ¿quién nos pediría declaración? Era de suponerse que una funeraria no enterraba a nadie sin asegurarse de qué había muerto legalmente, y ¿cómo nos iban a creer que habíamos estado con el muerto la noche entera sin que llegara la ambulancia? Lulú tiró una horrible moneda al aire, "a menos que realmente uno de nosotros lo haya asesinado". Y admito que rebusqué en mi memoria a ver quién se había empeñado primero, más que nadie, en sacar a la señora.

Recordé la desagradable sensación que me inundaba cuando Andrés me llevaba a un coctel prácticamente a rastras, y decía para animarme: "Si te ves muy bien", sabiendo que no era cierto; o la desesperación de Belinda por pelearse con alguien, porque Andrés en su bondad jamás le había hecho ningún mal; o la frustración de Antonio, teniendo que controlar su deseo mientras Andrés lo tomaba de la mano o lo palmeaba amistosamente, y la desilusión de Lulú cada que lloraba estrepitosamente sin que Andrés le diera un mínimo y poco saludable abrazo. Mientras pensaba en ello, no dejaba de observar a mis amigos, cada uno encerrado en su silencio y con toda seguridad poseído por una idea semejante. Y el suspiro de Belinda, el primer suspiro de Belinda, ese "por fin" que había escapado aéreo de sus labios, volvió a resonar en mi recuerdo, ahora como si yo misma y todos a la vez lo hubiéramos exhalado.

Yo no sé a quién se le ocurrió, quién rompió aquel silencio que nos estuvo asfixiando un buen rato más. El hecho es que Antonio fue al segundo piso a despertar a un médico, un cardiólogo de cierto renombre que cruzó la sala mirando de reojo con un poco de asco los restos de la cena y de la noche en vela. Cuando salió de la habitación, nos anunció que Andrés estaba muerto. Lulú tuvo otro ataque de histeria: la volví a abofetear. Belinda fue a zarandear el cadáver de nuevo. Y entonces, por fin, llegaron los de las funerarias y las ambulancias.

El cardiólogo ayudó a Belinda con todos los trámites. Levantaron el acta de defunción y organizaron el entierro. Cuando le pregunté a Belinda de qué había muerto Andrés según el cardiólogo, me respondió todavía extrañada que de una enfermedad incurable. Sospechamos del médico, de la funeraria y hasta de Belinda, pero nadie pensó seriamente en lo del asesinato. En realidad, cuando evoco la dulce tristeza que nos arrulló durante el sepelio, los rostros relajados en una paz irónica y justa, pienso que quizás lo que pasó fue que todos pedimos un deseo y se nos cumplió.

Ya hace mucho que no los veo: a Belinda, a Antonio y a Lulú. Ahora sólo un hilo más que tenue podría volver a unir nuestras vidas, tan imperfectas, tan deliciosamente imperfectas.

Pesadilla

*

Si me levanto. Si me levanto. Si logro levantarme, abandonaré este oscuro país. Hay una parte de mí que ya está de regreso. Otra parte vive lo que le da el sueño, se entrega a ello con expectación, con delicia. Si me levanto. Mi cuerpo se encuentra anestesiado, mudo. Escucho algo a mi alrededor, puede ser música, o conversaciones. Supongo que ya es de día, y que debo abandonar el sueño, pero mis miembros inmóviles lo ignoran, no hacen caso, continúan el movimiento imaginado en el sueño. No están aquí. No he despertado. Mis hijos saltan encima de mí, me sacuden. Siento sus manos frescas sobre mi cara. Y siento también las manos aterciopeladas del sueño sosteniéndome, la impresión turbia de estar en otra historia cuya trama ya no comprendo, pero que sigo con atención. No puedo hablar. Mi cuerpo está dominado por la laxitud, por una inercia inmóvil. Soñar me impide abrir los ojos, responder al grito desde la cocina, a las preguntas, a una conversación lejana que mantienen dos personas junto a mí, sentadas en la cama. Hunden con su peso una parte del colchón. Sus movimientos me mecen. La placidez del sueño me posee, tengo un placer enorme de seguir dormido, y a la vez quisiera poder despertar sin traicionar esta sensación de paz, esta entrega. Me acurruco, me hago un ovillo y sólo concibo aquellos movimientos, los que preceden a la quietud, a la relajación absoluta. Alguien abre las persianas y el sol entra a despertarme. Ante su violencia, reúno la fuerza para cubrirme el rostro con la almohada. Barren el cuarto. Los golpes de la escoba resuenan en mi oscuridad, me arrullan. Mi sueño continúa en cualquier punto, con escobas. Las imágenes nacen, rebrotan en borbotón, se dejan ver un momento, continúan su historia. Se mezclan con más palabras, con sacudones, con cosquillas. Me parece que hay mucha gente en el cuarto, quizás la estoy soñando. Alguien me echa agua en la cara. Me sacudo con pereza, sin abrir los ojos, me seco con el borde de las sábanas. Alcanzo a manotear débilmente, a balbucear algunas palabras, que son quizás respuestas a lo que alguien del sueño me pregunta. Quisiera despertar, quizás, y también no despertar. Es como si despertando me rompiera. Un par de manos grandes abren mis párpados con los dedos y les ofrezco sólo el blanco de mis ojos, no despierto. Una boca dice mi nombre, me intenta besar y la incorporo al sueño. Varias personas tiran de mí. Uno me levanta la cabeza, otro las piernas, otro los pies. Con grandes dificultades me sientan en el borde de la cama, y yo me dejo caer entre sus brazos, lanzo un ronquido furibundo. Después me dejan tranquilo. Duermo. Oigo pasos, carreras, gritos y conversaciones telefónicas. Hay tal ansiedad a mi alrededor, que prefiero seguir durmiendo. Me suelto, me entrego, floto en el sueño, en su vaivén. Alguien pone en mi boca unas gotas de café amargo. Alguien me tapa la nariz. Alguien sigue vertiendo café en mi boca. Me voy a asfixiar. Me incorporo en un espasmo, mis ojos se abren. La luz del sol ha quebrado algo adentro de mí. Los veo a todos, veo el sol y el cuarto barrido. No sé para qué me han despertado. Mi expresión de desconcierto les provoca risa. Yo lloro.

Buenas noches, María del Socorro

*

No sé por qué le dije que no podría salir. En realidad tenía toda la tarde libre, pero algo me dijo, o algo sentí en especial para no querer estar aquella tarde con Alfredo. Ya había terminado de planchar, y la señora me dijo que si quería salir que no importaba pero que estuviera a las siete para preparar la merienda. Cuando estaba en mi cuarto peinándome lo oí chiflarme desde la esquina. No me gusta que me chiflen, y ya me dijo la señora que mientras la persona que llame sea capaz de decir su nombre sin vergüenzas, puedo recibir llamadas telefónicas y hacer algunas. Ya le había dicho yo eso a Alfredo. Pero me chocó que me volviera a chiflar como si lo nuestro estuviera prohibido, o qué. A lo mejor la señora me tiene muy influenciada, pero ni siquiera es que me quiera yo dar mi taco, sólo ser tratada como persona decente. Así es que me hice la desentendida y me seguí peinando, pero Alfredo insistió e insistió. Me asomé y le hice seña de que lo veía en el portón. Me puse el suéter y salí, luego le dije que no, que esta tarde tenía mucho que lavar. Se fue enojado, y me dijo que un día me llevaría por la fuerza. Todavía le alcancé a decir que por qué no llamaba por teléfono, si yo ya se lo había dado.

—Porque qué va a decir la señora, me contestó, que te anden llamando.

—Pues dice peor de que me chiflen en la esquina —le dije, pero ya se había ido.

Esa tarde me puse a estudiar mi libro de secundaria. La señora pasó a mi cuarto y me preguntó que por qué no había salido. No tengo a dónde ir, le contesté, y nada más se me quedó mirando y se fue a la sala. Luego oí que sonaba el teléfono y contesté, con la esperanza de que fuera Alfredo, pero era un señor para la señora, el señor Jaime que a veces iba a visitarla. Escuché que la señora gritaba por el teléfono, y se iba corriendo a su cuarto. Me quedé pelando ejotes en la cocina. Quería estar cerca de la señora, por si me necesitaba. Al rato bajó y me pidió que le diera un té de tila. La vi muy preocupada. Entonces volví a oír el chiflido de Alfredo. No salí. Me ponía muy triste que no llamara por teléfono, como persona decente, como el señor Jaime cuando le hablaba a la señora, aunque la hiciera llorar porque es casado y ella también, pero cada quién sus cosas. Como a las siete y media llegaron los niños. Habían estado jugando no sé dónde, y se morían de hambre. Les hice unos hot dogs y el chiflido de Alfredo me volvió a saltar en los oídos. No sé cómo se le ocurría seguir chifle y chifle, como si quisiera que todo el vecindario se enterara. Tampoco salí, y me dije: ya nunca te volveré a ver, Alfredo Martínez. Me puse a ver la telenovela y llegó el señor. Siempre se nota mucho cuando llega porque pisa fuerte y hace mucho ruido con las llaves. La señora bajó a recibirlo, mucho más tranquila. Hasta le preparó ella misma su cena, y le hacía plática, pero el señor no contestaba, gruñía nada más y se fue a dormir luego luego. Después se quedó solita la señora en la sala y me pidió un agua mineral, y vi que le mezclaba licor de las botellas del mueble. El teléfono volvió a sonar, y otra vez era el señor Jaime. Pensé que qué bueno que no era Alfredo porque a esas horas como que se veía mal que me llamara. La señora habló muy bajo por teléfono, apenas se le entendía, y de repente soltaba alguna risota, y luego volvía a murmurar. Estaba yo terminando de lavar los trastes y otra vez el chiflido de Alfredo. Oyendo a la señora en el teléfono, Pensé que a lo mejor habría llamado alguna vez y le sonó ocupado, y no sé por qué me pareció bastante con esto y salí al portón. Alfredo me preguntó por qué no había querido salir con él. Lo noté un poco borracho. Me decía que sí se quería casar conmigo y todo, pero que antes yo le debía demostrar mi amor. ¿Y cómo?, le dije, y me contestó que saliendo con él y haciendo lo que él quisiera, y que si no hacía eso era que no lo quería, y que se iba a pegar un tiro con una pistola que había guardada en el taller. Tuve muchísimo miedo, y estuve a punto de salir con él en ese mismo instante, pero pensé que ahí estaba la señora y que ya era de noche, y todo lo que me había dicho Alfredo me pareció como un sueño, o como el cine, y ya no le di importancia. Le dije que me llamara por teléfono y cerré el portón. De lejos me gritó que no tenía el pinche teléfono y que dejara de fregar con el pinche teléfono. Le contesté que una vez se lo había dado y que por ahí lo debía tener, y que si no, no le demostraría nada y que se casara con otra. Me metí a la casa y la señora seguía pegada al teléfono con el señor Jaime. Quien sabe qué de cosas le decía, pero sonaban bien cariñosas. El señor estaba en pijama, parado atrás en la escalera, y nomás escuchaba todo lo que decía la señora. Me asusté mucho, y quise avisarle a la señora que le parara al novio porque el señor la estaba oyendo, pero no hallé manera. Entonces él me dijo buenas noches, María del Socorro, y la señora se puso bien pálida. El teléfono se le cayó de la mano. Y yo me metí a la cocina a prepararle otro té a la señora, porque ahora sí se le venía una buena. Cuando volví a escuchar el silbido de Alfredo, pensé que a lo mejor él tenía razón, que el teléfono causa muchos problemas, pero yo quería sólo escucharlo decir de parte de Alfredo Martínez, como si fuera un señor, y si no que se fuera mucho a volar.

Del día en que se me apareció Santa Brígida

*

El 8 de octubre de 1894 yo, el subteniente Diego Corona, me hallaba jugueteando con mi revólver, esperando al batallón en un claro del bosque a donde había ido a parar después de buscar infructuosamente un pozo de agua que calmara la sed del regimiento. Miraba y admiraba mi arma, quitándole el seguro y cortando cartucho porque el sonido me es muy agradable, cuando empecé a sentir frente a mí un resplandor, que fue aumentando hasta dejarme ciego. Traté de proteger mis ojos y mi revólver cayó al suelo. Entonces escuché una clara y suave voz, que adentro de mí decía muchas cosas confusas, entre ellas que Santa Brígida había venido al mundo para salvarnos, y que yo debía propagar semejante noticia y dejar de inmediato la carrera de las armas. De momento deshacerme del sable y el revólver, que son de mis cosas las más apreciadas, me pareció un acto de lo más aberrante, y así me dije a mí mismo, "Diego, deja de estar pensando locuras y ponte a buscar el pozo". Pero al intentar abrir los ojos para despertar de esto que me parecía un sueño, me encontré con una mujer frente a mí que muy bien podía ser Santa Brígida, a juzgar por el parecido que guardaba con ciertos grabados de aquella Santa, conocidos en mi juventud, cuando el padre Justiniano me enseñaba religión. Toda ella estaba aureolada por aquel resplandor amarillo como de sol, su manto blanco y puro y su cabeza cubierta con una toca que flotaba al viento, viento que yo no sentía, sin embargo. De inmediato me arrodillé, pues nunca había yo presenciado cosa semejante. Me encontraba aturdido y con la boca abierta, al grado que me tuvo que repetir varias veces su mensaje para que lo comprendiera: que debía dejar las armas y propagar su culto por toda la región. Esto me lo decía con una boquita fresca que parecía recién hecha como una flor; sus ojos azules y tristes, húmedos de piedad y sufrimiento por los pecados de todos los del batallón, o todos los humanos, no sabía bien, me miraban con una compasión infinita. De momento no supe qué contestar porque comprometerme en esa situación me parecía un poco engañoso: ¿qué tal que era una treta del Maligno, o bien del enemigo para evitar que ganáramos la guerra? Y ella pareció leer mi pensamiento porque me dijo: "Diego, esta aureola me la ha concedido el Altísimo; Lucifer nunca podrá inventar una así, por más engaños que frague y apariciones que orqueste". Yo tuve de momento una necesidad muy grande de besar su túnica, cosa que hice, sintiendo una gran beatitud, o sensación de estar parado en una nube; me salieron lágrimas no supe si de miedo o de agradecimiento, y cuando ella desapareció, de repente, sin añadir nada a su mensaje ni avisarme que ya partía, un enorme escalofrío poseyó mis huesos, y una tristeza muy profunda me abatió.

Así pasé un buen rato, tristeando al pie de un encino próximo, ya buscando mi revólver en el pasto crecido, ya arrepintiéndome de hacerlo, cuando el capitán Villoro se aproximó cabalgando en su recio corcel marrón veracruzano. Y antes de que me comenzara a gritar, cosa que siempre hacía, le espeté sin pensarlo que Santa Brígida se me había aparecido para ordenar al batallón que dejase las armas, y se pusiera a rezar en la muy lejana llanura de V... Lo primero que hizo el capitán fue ordenar a su escolta que me fusilara junto al encino, por imbécil. Poco después, sin embargo, detuvo la ejecución y fui llevado casi a rastras al campamento de la tropa por aquella escolta de a pie, muy resentida por los malos tratos y el rancho rancio, y por lo tanto dispuesta a vengar su odio en un suboficial afectado como yo. Al llegar me encerraron en un jacalón sucio, oscuro y poblado de repugnantes alimañas que en cuanto me vieron caer tirado como un fardo en el piso procedieron a escalarme, picarme, chuparme y picotearme. Pensaba yo en lo triste de mi presente condición, y en la manera impulsiva en que había hablado al capitán provocando mi ruina, pero en cuanto me arrepentía de mi proceder y decidía encaminarme a la cordura y olvidar el episodio para que pasara, me comenzaron a salir de los labios cánticos y vivas a Santa Brígida gritados con toda mi alma, cosa contra la que me era imposible luchar. Durante todo el día canté y grité poseído por aquel fervor obligado, pero nadie me hizo caso, y ni siquiera llegó alguien a golpearme, a ordenarme que me callara o a darme de comer. En la noche, con la garganta en jirones y sin poderlo creer ni yo mismo, seguí cantando aquellos himnos desconocidos y que sin embargo me surgían con harta naturalidad, compitiendo en estridencia con los grillos y las cigarras que habían empezado ya su fantasmal canto nocturno. Entonces entró de nuevo la escolta del capitán Villoro. Con mirada terrible, aquellos hombres vengativos y rudos me condujeron a la tienda del capitán, en la que se encontraban otros de su rango, y algunos suboficiales como yo que, de no habérseme aparecido Santa Brígida aquel día, estaría ahí seguramente, disfrutando de interrogar a algún otro inocente. Al entrar vi que sobre la mesa desfallecían los restos de un banquete, vi las copas y escuché sus risas, entonces me di cuenta de que estaban ebrios, y que más que juzgárseme, se me iba a tratar en aquel sitio como a un bufón, por lo que cerré la boca.

Ya comenzaba aquel tortuoso interrogatorio, tortuoso por las risas crueles que atinaba a escuchar cuando se mencionaba la aparición de la Santa y su mensaje, ya comenzaba yo a dar las primeras explicaciones, cuando se apoderó de mí un orgullo enorme y respondí que no hablaría de mi patrona con patanes que sólo irían a mancillar su imagen, y que de cualquier manera morirían en impía batalla, yendo en seguida a parar al infierno. Mi capitán Villoro dejó de hablar, me miró con terribles ojos de fuego, y aquellos que hacía unos momentos reían, en aquel instante quedaron como paralizados, no sé si de ira por lo que había yo dicho, o de miedo a mi capitán Villoro que montado en cólera era, para decirlo con todas sus letras, un animal salvaje. El capitán comenzó a hablar en voz baja, trabado de furia, y a decirme que un soldado que defiende a su patria poco o nada tiene que ver con el infierno. Después pasó a condenarme a muerte sin remedio. Yo en realidad hubiera querido preguntarle si habíamos aquel día ganado la batalla en lo que yo buscaba el pozo, pues el banquete que se celebraba me indujo a pensar en ello, pero no me atreví. Aun así hablé, pues aquello de mí no dependía y por mi boca salió que quien desoía a un iluminado por el mismo Dios, poco derecho tenía a hablar de la patria o del cielo. Y seguí entonando en aquel momento los coros y cánticos a Santa Brígida, mientras pensaba en que me estaba muriendo de hambre. Inmediatamente me arrastraron a la oscura choza en la que anteriormente me habían confinado y me dieron mi última cena, según dijo el ordenanza que la dejó en el suelo junto a sus botas después de patearla. Yo con orgullo la rechacé y aventé por la ventana, diciendo que el alimento del rencor humano sólo envenenaría mi alma. Hasta aquel momento yo no había librado una lucha contra mí mismo, ni contra la conducta que se había apoderado de mí a raíz de la aparición de la Santa, pero aquello ya fue demasiado para mí, pues estaba muerto de miedo porque me iban a matar, y además no tenía nada en el estómago. De modo que me tiré al suelo: espesas lágrimas salieron de mis ojos y mi garganta se amarró con grueso nudo. Mi cuerpo entero se sacudía con los sollozos y creo que nunca en mi vida me sentí más solo y desprotegido, y eso que había tenido una iluminación. Adentro de mí, la voz de Santa Brígida me regaño también; me dijo que estaba llevando muy mal mi mensaje; que estaba sufriendo, sí, pero que aquello no era tan grave comparado con las delicias del cielo que probaría yo tras mi martirologio. De sólo pensar que además del hambre y los malos tratos me esperaba un martirologio, quise morir de una vez aunque no fuera a parar al cielo, y lloré tanto que terminé durmiendo.

Parece que el estruendo de los cánticos y el llanto fueron el medio que la Santa utilizó para despertar la piedad de los soldados, hombres sumidos más que nadie en el desamparo. Al día siguiente me despertó un escándalo afuera de mi puerta y los rayos del sol que entraban por un tragaluz directo a mi cara picada de garrapatas. Una multitud pedía a gritos liberarme, y afuera se libraba una escaramuza cuya causa me era imposible comprender pues con los gritos no oía nada. Hemos triunfado, me decía dentro de mí la voz de Santa Brígida; y en efecto, si bien mis palabras habían tropezado contra la coraza de orgullo del capitán Villoro, la tropa había decidido que fusilar a un iluminado era un sacrilegio peor que violar la ordenanza. La puerta de la casucha se abrió de golpe: "¡Maestro!" gritaron varios soldados en el quicio. Después de eso se arrodillaron. Me levanté y caminé entre la tropa postrada en oración; eran miles y miles. Soldados de la fe, decía Santa Brígida adentro de mí. Al fondo, los cadáveres del capitán Villoro y los demás oficiales cubiertos con la bandera ofrecían un espectáculo digno de su condición. Pero eso, por lo visto, no debía importarme. Muy a pesar mío dije un discurso sobre la aparición de Santa Brígida y la necesidad de dejar las armas e irnos a la llanura de V... a orar. Los soldados tiraron sus armas a una gran pira, la pólvora comenzó a arder y nos fuimos dejando aquel sitio convertido en un infierno.

Para mí fue un descanso relativo el ser llevado en andas, e inclusive me animé a pedir agua, pero cuando lo intentaba de mi boca no salía sonido. De modo, pensaba, que mi martirologio estaba a punto de cumplirse: cargado al borde del desmayo por una multitud enloquecida que había dejado atrás las vacas y las cacerolas, y que me pasaban de unos brazos a otros como a una especie de valiosísimo guiñapo. A todos ellos les brillaba la mirada; mis ojos, podría jurarlo, eran ya blancos en su totalidad. De vez en cuando, si me depositaban en el suelo, cosa de la que me daba cuenta porque sentía en el cráneo el filo de las piedras, escuchaba preguntas: "¿Hacia dónde, maestro?, estamos perdidos". Y mis labios respondían no sé cómo que hacía el sur, y mi mano se levantaba para señalar aquella dirección. Cuando empezaron a quejarse de que no había nada de comer en aquella tierra inhóspita y seca en la que cada vez nos internábamos más, yo hubiese querido decirles que no fui yo quien echó los cerdos y las gallinas a la pira de las armas, y fusilarlos a todos. Pero en lugar de eso, mi boca les hablaba de yerbajos y raíces que se afanaron en buscar bajo las piedras, entre las sierpes y los alacranes, y su veneno causó más bajas que el hambre misma. Y mientras veía caer a estos pobres desde el ángulo perdido de mi mirada blancuzca, escuchaba por horas incesantes los regaños de Santa Brígida en mi interior, que a ratos me prometía el Cielo, y a ratos el Purgatorio por no aspirar en el fondo de mi ser a la beatitud; a veces el infierno por obstinarme en escuchar los bramidos de mi marchito estómago.

Al cabo de cinco días de caminar entonando coros y comiendo yerbajos llegamos por fin al valle y oramos, tal como lo había pedido la Santa. No sé cuánto tiempo pasamos sumergidos en el murmullo agotado de aquellos balbuceos, pero después de un rato comencé a sentir un agradable silencio en mi interior: ya no escuchaba a Santa Brígida, ya podía hablar con mi propia voz, decir mis pocas pero fijas ideas: debíamos salir de aquella región cuanto antes y buscar comida, tortillas, carne. El júbilo que esto me causó me dio fuerzas para levantarme entre la multitud de soldados, para comenzar a pedirles que también se levantaran y escucharan lo que yo, el subteniente Corona, tenía que decirles. Pero el retumbar de las pezuñas de muchos caballos contra el árido suelo me dejó en silencio otra vez, y preferí dejar al batallón rezando. La caballería enemiga nació entre las colinas cercanas, y vino a derramarse sobre los inermes soldados, que a duras penas pudieron levantarse y correr, ya no digamos a defenderse. La mayoría de ellos murió en pleno martirologio, y yo, no sé ni cómo, eché a correr sin parar hasta darme cuenta de que me hallaba a varias leguas de distancia, con el pellejo sano y la mente en silencio. Nunca regresé, y nunca volví a escuchar o a ver a Santa Brígida. Por eso, cuando siento cualquier resplandor, aun cuando sea el del sol, me pongo triste y le doy la espalda.

La fusca y el pusilánime

*

Fui a Calipén a matar a un tal Florencio Hernández que nos había afrentado. El camino fue difícil, ardoroso por el calor. Me pesaba la pistola en el cinto, pero más que la pistola era la encomienda de matar a un hombre. Estaba ardido. Florencio Hernández se había burlado de toda mi familia frente a mí. Había dicho de mi madre que no era santa, sino una meretriz, y de mis hermanas, Concha y Leonor, que eran ladronas. A mi hermano Javier lo había herido con la palabra "asesino", y a mi padre lo llamó pusilánime. De mí nunca dijo nada, y fue por eso que llegamos a que había yo de matarlo, y no cualquiera de los ofendidos, porque yo estaba limpio de palabras, de las palabras de Florencio Hernández. Cada cosa que dijo sobre mi parentela me resonó en la cabeza durante todo el trayecto, y aún al llegar a Calipén me vi pensando en que a mi hermano Javier le habían dicho asesino, y él sólo había matado con razones.

Bajé del autobús polvoso en la estación. Nadie me supo decir dónde vivía Florencio Hernández, pues Calipén es ya un pueblo grande y la gente se desconoce. Pistola en mano, quise comer en una cantina y no me dejaron entrar. Me fui a un hotel, donde dejé la fusca. En la fonda de enfrente, mientras ponía en mi estómago unos huevos con chorizo, le pregunté a la mesera si conocía a Florencio Hernández. Me dijo que no. Las afrentas me cegaban, sobre todo la que había hecho a mi madre y a mis hermanas. Agarré confianza con aquella mesera, de nombre María de Lourdes, y le conté mis razones para estar preguntando por aquel hombre. Ella se interesó, pero no podía ayudarme. Me hizo la sugerencia de que buscara en la guía telefónica.

Había muchos Hernández en el libraco, y cinco de ellos se llamaban Florencio. Entre tanto desconocido que poblaba Calipén, las afrentas de Florencio Hernández empezaban a parecerme puras palabras. Pensé que a nadie importaría lo que hubiera dicho de mi familia, y menos aquí, donde éramos más que inexistentes. Fui a una caseta de larga distancia y hablé mucho con mi padre sobre la situación. Él me decía:

–No, Genaro, las cosas no pueden quedarse así. No vayas a ser tú el que ahora, por perderte en un pueblo grande, termines de pisotear el honor de la familia. ¿O será que de ti no dijo nada y por eso no lo quieres ya matar?

Le dije a mi padre que no fuera a creer eso, que con cada afrenta a mis padres y a mis hermanos Florencio Hernández me insultaba a mí, y que hasta hubiera preferido ser insultado en mi persona a que deshonraran a mi sangre.

–Entonces encuéntralo –dijo mi padre.

Volví con María de Lourdes y le pregunté cómo hallar al Florencio Hernández que yo buscaba. Me respondió que por el segundo apellido. Llamé de nuevo a mi padre, y sólo me contesto que ya dejara de estar fregando y que cumpliera mi misión en este mundo.

Así que me encaminé hacia la casa del primer Florencio Hernández que estaba más cercana. Traía la pistola escondida debajo del saco, cosa que María de Lourdes me sugirió, porque estaba prohibido portar armas y la policía me podía arrestar. No entendía por qué las cosas se complicaban tanto. Cuando llegué a la dirección que estaba señalada en el directorio, justamente salía de aquella casa un hombre rechoncho y bajo. Le pregunté por Florencio Hernández.

–A sus órdenes– me respondió.

Pero no era él. Yo estaba presente cuando Florencio Hernández cubrió de injurias a mis familiares, lo conocía. Me disculpé con el señor y regresé a la fonda a meditar qué hacer con una cerveza. Lo peor fue que la cerveza me abrió un poco la memoria, y me acordé de haber oído que mi madre, antes de casarse con mi papá, había trabajado en un cabaret de mala muerte. Pero era una santa, para nosotros virginal, y lo que Florencio Hernández había dicho de ella debía ser tomado como un insulto. Igual me quedó un resquemor. Pero me levanté a tomar un camión a la dirección del segundo Florencio Hernández. Vivía muy lejos de ahí. Mientras veía pasar a tanta gente y tantas casas, pensaba en el poco sentido que tenía matar en Calipén, donde éramos unos desconocidos, a Florencio Hernández, que a lo mejor no había dicho tantas mentiras.

Al segundo Florencio Hernández no lo conocí, pues estaba fuera de Calipén. Pero me di cuenta al ver la casa llena de mármol, que no podía ser el que yo estaba buscando. Estaba tan cansado y tenía tanta hambre, que me regresé al hotel a dormir y decidí seguir buscando al día siguiente. Pasé a visitar antes a María de Lourdes. Le prometí que en cuanto matara a ese hombre la invitaría al cine. Ella respondió que estaba bien, que cuando yo quisiera.

Pasé la noche en vela. Me preguntaba por qué de mí no dijo nada Florencio Hernández. Era cierto que yo no había cometido ningún pecado hasta la fecha, y hasta me sentía poco hombre por no tener ninguna cuenta pendiente. Mi hermano Javier, por ejemplo, tenía en su haber ya cinco vidas, y era la admiración de mi papá, que no mataba una mosca y se ponía a temblar de miedo cuando alguien sacaba un arma. Como cuando Florencio Hernández nos insultó a todos, que se fue a encerrar a su habitación. Aquel día Javier no estaba, que de hallarse en casa no estaría yo buscando Florencios Hernández en Calipén, cansándome. Total que despuntó el alba y me levanté. No soportaba la cama blanda del hotel, y los pensamientos que me provocaba de desidia, de pereza.

Después de desayunar con María de Lourdes, me preguntó si era yo pobre. Le pregunté por qué y me dijo que podía tomar un taxi y cansarme menos, si lo podía pagar. Tomé su consejo y paré uno. De camino estuve oyendo las noticias en el radio y la verdad era que, a juzgar por lo que escuchaba, ni por asomo le hubiera importado a nadie enterarse de nuestra deshonra. En nuestro pueblo vivíamos bastante apartados y todo mundo estaba al tanto de los pecados de la familia y los pasaban por alto. En realidad mis hermanas, Concha y Leonor, habían robado varias tiendas. Pero su intención había sido buena, pues fue cuando éramos pobres. Si no es por sus robos, quién sabe qué hubiera comido yo de pequeño. Así que debía vengarlas. En el pueblo todos son ladrones y han matado alguna vez, así que las palabras de Florencio Hernández sobre nosotros les hubieran provocado risa, quizás. A lo mejor era lo que mi padre quería evitar mandándome a Calipén.

Con trabajos me bajé del taxi en la casa del tercer Florencio Hernández, impaciente de que éste sí fuera, para quitarme pronto el encargo de encima. Era un pobre diablo, tan parecido a Florencio Hernández como yo a María de Lourdes. Me tuve que volver a subir al taxi. Lo que más mal me hacía sentir era que ya no quería matarlo, no le veía razón, y pensaba que lo correcto hubiera sido traer la afrenta en la sangre y la furia ciega en los ojos. Pero veía y pensaba demasiadas cosas. Por ejemplo, cuando el taxi se paró frente a la casa del cuarto Florencio Hernández, un pobre diablo que se asustó nomás de verme, pensaba yo que mi padre era en efecto un pusilánime, pues arriesgaba al hijo que nada había hecho con tal de salvar su pellejo. Quizás hubiera tenido más honor que defender si alguna vez lo hubiera visto tomar un riesgo por nosotros.

El quinto Florencio Hernández vivía muy lejos y tampoco era, así que se me acabaron los del directorio. Le pedí al taxista que me dejara en la fonda con María de Lourdes, y lo que tuve que pagarle por el paseo me pareció demasiado, más aún porque me lo había ganado trabajando, yo era el honrado de la familia. Aquella tarde invité a María de Lourdes al cine. No sé si ella quería o estaba asustada. Fuimos a ver *El escuadrón de la venganza*. A mitad de la película le confesé que no había encontrado a Florencio Hernández. Me pidió que nos saliéramos, y me sugirió que volviera a hablar con mi papá y le pidiera más señas de aquel hombre porque así nada más iba a estar imposible hallarlo. Tuve que volver a hablar con mi papá.

–Mira, Genaro –me dijo– Florencio Hernández es una víbora que nos ha escupido su veneno. Sé muy poco de él y no quiero saber nada, sólo que ya está muerto.

Regresé con María de Lourdes y le conté lo que me había dicho mi papá. Ella me pidió que dejara de molestarla, y fue una pena porque ya me estaba gustando. Salí triste. Estaba harto, ya no quería ni pensar en el asunto de Florencio Hernández. Para mi papá era fácil, pues no tenía que venir él a buscarlo. Así que dejé la pistola en el hotel y me fui a emborrachar a una cantina. Después de muchas cervezas, ya beodo, el cantinero me preguntó que qué me pasaba, y le conté que andaba buscando a un tal Florencio Hernández, por tal y cual cosa. Entonces el tipo que estaba bebiendo junto a mí se me quedó mirando. Él era Florencio Hernández. Estaba tan borracho que ni lo había visto. Ya lo iba a matar, pero me acordé de que no traía la fusca. Le dije que me esperara si era valiente, y me fui al hotel. Me costó mucho trabajo porque me estaba cayendo y se me nublaba la vista. Por fin regresé con la pistola, pero Florencio Hernández ya no estaba. Era más valiente insultando, aunque fuera con verdades. Le pregunté al cantinero que a dónde había ido Florencio Hernández. Me preguntó que cuál.

–El que estaba aquí a un lado –le dije.

–No sé. Yo a ése no lo conozco –respondió.

Me puse como un energúmeno. Estaba ya muy cansado, borracho, y me imaginé que toda la gente de Calipén se burlaba de mí, aunque pareciera increíble. Solté tiros por toda la cantina, pero no maté a nadie. Tuve que salir corriendo, porque llamaron a la policía. Fui a la fonda de María de Lourdes, ya cerrada. Le grité que me abriera y no me abrió, baleé la cerradura, y cuando llegué hasta la cocina me di cuenta cabal de que no estaba, y de que ignoraba dónde vivía.

Ya nada era importante. En la tristeza, apoyado en un poste como nunca jamás pensé que estaría, razoné que si mataba a un Florencio Hernández, a cualquier Florencio Hernández, la familia me dejaría tranquilo. Me acordé de los cinco que había conocido, y del verdadero que huyó cobardemente, La verdad era que ninguno de ellos merecía morir, y pensándolo bien, el pobre Florencio Hernández que sólo había descrito a mi parentela con fidelidad, tampoco. El hombre en realidad era un santo, un vidente. Total que, para limpiar el honor de esa bola de cínicos, bien podía matar a un perro. Y justo llegó uno a orinarse al mismo poste que me daba apoyo. Enfilé el cañón de la pistola sobre el animal flaco y sarnoso, con la ilusión de que a ese sí le hacía un favor. Pero me había gastado las balas en la cantina, y tratando de sacar a María de Lourdes de la fonda donde no estaba. Así que me fui directo a la estación, llegué a mi pueblo a la mañana siguiente y le dije a la familia que había matado a Florencio Hernández y que él, antes de morir, me había llamado mentiroso. Hasta la fecha me dicen "el matón".

Fotocomposición:
Alba Rojo
Impresión:
Xpert Press, S.A. de C.V.
Oaxaca no. 1, 10700 México, D.F.
25-IV-1996
Edición de 1000 ejemplares

Narrativa y poesía en Biblioteca Era

Jorge Aguilar Mora
Una muerte sencilla, justa, eterna
Ernesto Alcocer
También se llamaba Lola
Claribel Alegría
Pueblo de Dios y de Mandinga
Dorelia Barahona
De qué manera te olvido
José Carlos Becerra
El otoño recorre las islas. Obra poética, 1961/1970
Mario Benedetti
Gracias por el fuego
Alberto Blanco
Cuenta de los guías
José Joaquín Blanco
Mátame y verás
El Castigador
Miguel Bonasso
Recuerdo de la muerte
Carmen Boullosa
Son vacas, somos puercos
Llanto
La Milagrosa
Luis Cardoza y Aragón
Miguel Ángel Asturias (casi novela)
Lázaro
Rosario Castellanos
Los convidados de agosto
Carlos Chimal
Cinco del águila
Carlos Fuentes
Aura
Una familia lejana
Los días enmascarados
Eduardo Galeano
Días y noches de amor y de guerra
Ana García Bergua
El umbral
El imaginador
Gabriel García Márquez
El coronel no tiene quien le escriba
La mala hora
Juan García Ponce
La noche
Francesca Gargallo